INTRODU
À LA LITTÉRATU
DU MOY

DU MÊME AUTEUR

La Pastourelle, Paris, Bordas, 1972.
La Prédication en langue romane avant 1300, Paris, Champion, 1976, 2e éd. 1982.
Les Chansons de toile, Paris, Champion, 1978.
Roman rose et rose rouge, Paris, Nizet, 1979.
Le Roman d'Apollonius de Tyr, Paris, U.G.E., « 10/18 », 1982.
La Subjectivité littéraire. Autour du siècle de Saint Louis, Paris, P.U.F., 1985.
Rutebeuf. Œuvres complètes, 2 vol., Paris, Classiques Garnier, 1989 - 1990.
La Littérature française du Moyen Age, Paris, P.U.F., 1992.
Les Voix de la conscience. Parole du poète et parole de Dieu dans la littérature médiévale, Caen, Paradigme, 1992.

EN COLLABORATION

Girart de Roussillon ou l'épopée bourguignonne. Commenté par Marcel Thomas et Michel Zink. Adaptation en français moderne de Roger-Henri Guerrand, Paris, Philippe Lebaud, 1990.
Histoire européenne du roman médiéval. Esquisse et perspectives, par Michel Stanesco et Michel Zink, Paris, P.U.F., 1992.

DIRECTION D'OUVRAGES COLLECTIFS

Réception et identification du conte depuis le Moyen Age. Textes réunis par Michel Zink et Xavier Ravier, Toulouse, Presses de l'Université du Mirail, 1987.
Dictionnaire des lettres françaises - Le Moyen Age. Edition entièrement revue et mise à jour sous la direction de Geneviève Hasenohr et Michel Zink, Paris. Le Livre de Poche, La Pochothèque, 1992.
Les Ages de la vie au Moyen Age. Textes réunis par Henri Dubois et Michel Zink, Paris, Presses de l'Université de Paris-Sorbonne, 1992.
Les Représentations de l'apogée et du déclin à la fin du Moyen Age (XIII-XVe siècles). Textes réunis par Claude Thomasset et Michel Zink, Paris, Presses de l'Université de Paris-Sorbonne, 1993.

MICHEL ZINK

INTRODUCTION À LA LITTÉRATURE FRANÇAISE DU MOYEN ÂGE

LE LIVRE DE POCHE

Une version très développée et amplifiée du présent ouvrage a été publiée sous le titre Littérature française du Moyen Age *en 1992 aux Presses Universitaires de France dans la collection « Premier Cycle ».*

Michel Zink, ancien élève de l'Ecole Normale Supérieure, est professeur de Littérature française du Moyen Age à la Sorbonne (Paris IV). Il a enseigné à plusieurs reprises comme professeur invité à l'université Yale, ainsi qu'à l'université de Californie à Berkeley, à l'université de Pennsylvania, à l'université de Constance. Il est l'auteur de nombreux ouvrages consacrés, à la littérature médiévale. Il est le fondateur et le directeur de la collection « Lettres gothiques » au Livre de Poche.

INTRODUCTION

La littérature française apparaît au Moyen Age. L'âge moyen, l'âge intermédiaire, le « Moyen Age », ainsi défini négativement comme la période qui sépare l'Antiquité des Temps modernes sans être caractérisée en elle-même, est l'âge des débuts. Au-delà du contraste entre une expression qui serait désobligeante si elle n'était aussi usée et la réalité qu'elle recouvre, se mêlent l'erreur et la vérité. Car il est bien vrai qu'il existe une continuité entre la culture antique et la culture médiévale, mais il est bien vrai aussi que la seconde est en rupture profonde avec la première et qu'elle marque à bien des égards, ne serait-ce qu'avec l'apparition de langues nouvelles, un véritable commencement.

Un commencement : voilà qui explique la fascination que peut exercer la littérature médiévale — la fascination fondée sur l'impression, ou l'illusion, que l'antériorité a valeur d'explication et que plus haut dans le passé, plus profond dans les racines se trouve une vérité de ce que nous sommes. Un commencement qui n'en est pas un : voilà où résident pour une bonne part sa complexité et son originalité. Le Moyen Age est le moment où nous pouvons saisir notre civilisation et notre littérature dans leur état primitif, et pourtant la civilisation médiévale n'est nullement une civilisation primitive, bien que certaines approches anthropologiques permettent parfois de mieux la comprendre.

Telle est la première ambiguïté de cette littérature. On peut y percevoir un effort délibéré pour imiter, poursuivre, adapter les modèles antiques au-delà des ruptures que constituent l'effondrement du monde romain, la formation des jeunes langues romanes, l'émergence de la société féodale. On peut juger au contraire qu'elle reflète pour l'essentiel un monde neuf, des sensibilités et des formes d'expression nouvelles. L'un et l'autre sont vrais, et l'harmonisation de ces deux vérités est difficile. Selon que l'on privilégie l'une ou l'autre, les relations entre le latin et la langue vulgaire, entre l'oral et l'écrit, entre la notion même de littérature et les pratiques du temps, apparaissent dans une perspective différente.

Au demeurant — et c'est la seconde difficulté à laquelle se heurte une étude d'ensemble — cette littérature évolue très profondément au fil du temps. Comment pourrait-il en être autrement ? Il ne s'agit pas en l'occurrence de découper et d'étudier un siècle unique dans l'histoire de notre littérature. Le Moyen Age s'étend sur mille ans, puisque les historiens le font commencer avec la chute de l'Empire romain d'Occident en 476 et situent sa fin dans la seconde moitié du XVe siècle. S'il est vrai que la littérature française ne voit apparaître ses premiers monuments qu'à la fin du IXe siècle pour ne prendre son véritable essor qu'à la fin du XIe, ce sont tout de même quatre ou cinq siècles qui se trouvent englobés sous la dénomination commune de littérature du Moyen Age.

L'approche que l'on en propose ici fonde son plan d'ensemble sur les grandes divisions chronologiques de cette longue période, mais son ambition est aussi de montrer que ces divisions ne sont pas arbitraires et de les faire coïncider sans artifice avec les étapes d'un exposé capable de rendre compte de façon raisonnée et cohérente du développement de cette littérature. On envisagera d'abord les conditions de sa genèse, en relation avec celle de la langue qui en est le véhicule, et ses premières manifestations à travers les plus anciens textes conservés. La seconde partie décrira l'épanouissement d'une littérature française originale et abondante sous ses trois formes les plus anciennes et les plus importantes : la chanson de geste, la poésie lyrique, le roman. Le moment de cet épanouissement est le XIIe siècle. La troisième partie montrera comment le succès même de cette littérature entraîne sa mutation et son renouvellement dans certains domaines, sa sclérose dans d'autres, comment il modifie les conditions de la vie intellectuelle et littéraire, de la diffusion des œuvres, comment, plus généralement, il provoque un changement profond de la conscience littéraire. Cette évolution correspond grossièrement au XIIIe siècle. Enfin, les deux derniers siècles du Moyen Age, sans remettre en cause le système littéraire qui se met en place dans la seconde moitié du XIIIe siècle, forment à bien des égards un univers particulier et demandent à être traités à part.

PREMIÈRE PARTIE

Les conditions d'une genèse

CHAPITRE I

Naissance d'une langue
Genèse d'une littérature

Latin et langue vulgaire

Au moment des invasions germaniques et de l'effondrement de l'Empire romain, une seule institution survit au naufrage et assure la pérennité de la culture latine : l'Eglise. Dans le même temps, le latin parlé, introduit en Gaule cinq siècles plus tôt lors de la conquête romaine, et qui avait déjà subi des altérations sensibles, les voit alors s'accentuer rapidement. Quelques siècles plus tard, la littérature française naîtra de la rencontre — tantôt alliance, tantôt affrontement — entre la jeune langue née des ruines du latin et la déjà vieille Eglise, conservatrice des lettres latines.

En « passant aux barbares », selon l'expression bien connue, en convertissant les conquérants germaniques, l'Eglise se sauve et sauve la latinité. Les seules écoles sont les siennes. C'est elle qui fournit en fonctionnaires sachant lire et écrire les cours des souverains goths, fascinés par la chancellerie romaine. Ce sont ses évêques — à l'exemple de Sidoine Apollinaire au ve siècle, de Venance Fortunat au vi^e^ — qui cultivent encore la poésie, échangent des lettres à l'éloquence apprêtée, composent des panégyriques et des épithalames en hexamètres presque justes pour des princes qui les comprennent à peine. C'est dans ses monastères que sont conservés et recopiés les manuscrits sans lesquels la littérature latine serait pour nous perdue presque tout entière. En même temps, il est vrai, sous l'influence du monachisme, elle tend alors — aux VIe et VIIe siècles — à se replier sur elle-même, à se considérer comme une société autonome et idéale, à voir dans le monde laïque une sorte de mal nécessaire, et à manifester une sévérité toujours plus grande pour les lettres profanes. Saint Augustin admettait l'étude des arts libéraux et des auteurs païens comme une propédeutique à la lecture des textes sacrés. Cette concession se fait de plus en plus réticente pour disparaître parfois au VIIe siècle, comme chez le moine anglo-saxon Bède le Vénérable. Une telle sévérité, si elle ne s'était heurtée à une forte résistance, aurait pu menacer la survie de l'héritage antique, préservé jusque-là à côté de l'héritage scripturaire et patristique. D'un autre côté, elle a peut-être favorisé l'extraordinaire épanouissement d'une poésie liturgique très nouvelle dans sa forme, dans son expression, dans ses mélodies — le chant grégorien. Une poésie et des mélodies qui précèdent et annoncent, on le verra, le lyrisme profane en langue vulgaire. Au demeurant, dans la seconde moitié du VIIIe siècle, la renaissance carolingienne allait remettre en honneur l'étude des auteurs classiques dans son effort pour assurer une meilleure formation des fonctionnaires impériaux comme du clergé.

Mais vers la même époque se produit un phénomène capital qui, irrévocablement bien qu'à long terme, marque les limites et modifie la portée de toute conservation, de toute restauration, de tout prolongement si fécond soit-il, de la culture latine. La langue parlée a évolué au point que les *illiterati*, ceux qui n'ont pas fait d'études, ne comprennent plus le latin. Il n'y a plus désormais un latin « littéraire » et un latin parlé, mais deux langues différentes. Il est difficile de savoir à partir de quel moment les expressions dont usent les textes (*lingua rustica,* etc.) désignent, non plus le latin vulgaire, mais cette autre langue. Mais c'est certainement déjà le cas en 813, lorsqu'un canon du concile de Tours invite les prêtres à prêcher *in linguam rusticam gallicam aut theotiscam,* en langue vulgaire « gauloise » ou « teutonne », autrement dit en français ou en allemand. Trente ans plus tard, en 842, les serments de Strasbourg, prêtés lors d'une de leurs réconciliations sans lendemain par deux des fils de Louis le Pieux, Charles le Chauve et Louis le Germanique, sont prononcés en allemand et en langue romane par les souverains et par leurs partisans, et reproduits par l'historien Nithard dans son *Histoire des fils de Louis le Pieux.* Ainsi nous a été conservé ce premier texte dans une langue qui n'est plus du latin et qui deviendra le français.

Cette évolution s'accompagne d'un morcellement. Le latin parlé, appris de la bouche de légionnaires qui ne s'exprimaient pas comme Cicéron et venaient de tous les coins de l'Empire, déformé par les gosiers autochtones, enrichi d'apports germaniques qui sont venus s'ajouter aux résidus indigènes, ne s'est pas transformé de façon uniforme. La pondération de ces divers éléments, la diversité des habitudes phonétiques, la proportion des Germains dans la population, la profondeur et l'ancienneté de la culture latine, tout cela variait d'une région à une autre. C'est pourquoi dans l'espace où la colonisation romaine avait été assez forte pour que les langues nouvelles fussent filles du latin — la Romania —, ces langues — les langues romanes — se sont différenciées. Sur l'étendue de la France actuelle, deux langues apparaîtront, désignées traditionnellement depuis Dante par la façon de dire oui dans chacune : la langue d'oïl au Nord et la langue d'oc au Sud. Mais ces langues elles-mêmes se divisent en nombreux dialectes, au point que les contemporains semblent avoir eu longtemps le sentiment qu'il n'y avait qu'une seule langue romane et que toutes les variations étaient dialectales. Face à ce mouvement centrifuge la littérature fera œuvre d'unification, soit qu'un dialecte l'emporte — parfois momentanément — sur les autres, soit, plus souvent, que par un effort délibéré elle efface ou combine les marques dialectales dans le souci d'être comprise de tous.

Mais revenons au moment où la langue romane émerge face au latin. Il ne lui suffit pas d'exister pour devenir une langue de culture, et rien n'assure alors qu'elle le deviendra. Ou plus exactement, rien n'assure qu'elle sera jamais écrite. L'Eglise a le monopole des outils et de l'apprentissage intellectuels. Les clercs sont tout occupés à recopier, commenter, imiter les auteurs antiques, à approfondir l'exégèse scripturaire, à composer des poèmes liturgiques, bientôt à renouer avec la philosophie. Pourquoi auraient-ils cherché à forger, dans une langue qui existait à peine, une culture qui n'existait pas ? Pourquoi auraient-ils pris la peine de copier les chansons à leurs yeux sauvages et immorales des rustres, chansons qui existaient pourtant, puisque sermons et ordonnances conciliaires les condamnent dès le VIe siècle, puisqu'au Xe siècle Bernard d'Angers les entend résonner dans l'église Sainte-Foy de Conques — et s'étonne d'apprendre qu'elles plaisent à la petite sainte, comme elle l'a fait savoir par une vision à l'abbé qui voulait les faire taire ? Pourquoi auraient-ils noté des légendes où affleuraient encore les croyances païennes ? Et s'ils ne le faisaient pas, qui le ferait ? On ne pouvait apprendre à lire et à écrire qu'au sein de l'Eglise. Et apprendre à lire et à écrire, c'était apprendre le latin. A l'extrême fin du XIIIe siècle encore, à une époque où la littérature française est florissante depuis deux cents ans et où dans les faits bien des laïcs savent lire tout en ignorant complètement ou presque complètement le latin, le catalan Raymond Lulle, dans son traité d'éducation *Doctrina pueril,* recommande comme une audace d'enseigner la lecture et l'écriture à l'enfant dans sa langue maternelle. Rien ne garantit donc, au moment où la langue romane se différencie du latin, qu'elle deviendra une langue de culture à part entière, et de culture écrite. Après tout, elle pouvait, semble-t-il, rester indéfiniment dans la situation où l'arabe dialectal s'est maintenu au regard de l'arabe littéral. Mais il en est allé autrement, et c'est pourquoi l'apparition des premiers textes en langue vulgaire mérite l'attention que nous lui porterons dans le prochain chapitre.

Ecrit et oral

Cependant, l'expression un peu contournée dont on vient d'user — « une langue de culture à part entière, et de culture écrite » — trahit une hésitation et une difficulté. En quel sens l'écrit est-il un critère de culture dans la civilisation médiévale ? Les deux couples en opposition latin/langue vulgaire et écrit/oral se recouvrent-ils exactement ? Au moment où apparaissent les langues romanes, le latin, c'est évident, a le monopole de l'écriture. Mais, durant tout le Moyen Age, et bien que la place de l'écrit ne cesse de s'étendre, les relations entre l'oral et l'écrit sont d'une façon générale très différentes de celles dont nous avons l'habitude. La « performance » orale (s'il est permis de donner au mot performance, de façon incorrecte, le sens qui est le sien en anglais) joue en règle générale le rôle essentiel, et l'écrit semble n'être là que pour pallier les défaillances de la mémoire. Cela est vrai même dans le domaine juridique : il existe des chartes vierges, qui ne font que témoigner de l'existence d'un acte passé oralement ; il en est d'autres qui sont allusives et ne prennent pas la peine de transcrire le détail de la convention qu'elles mentionnent. Cela est beaucoup plus vrai encore s'agissant d'œuvres littéraires. L'œuvre médiévale, quelle qu'elle soit, est toujours appelée à transiter par la voix et n'existe qu'en performance. L'essentiel de la poésie, latine et romane, est chanté. Bien plus, jusqu'à l'apparition du roman, toute la littérature en langue vulgaire, sans exception, est destinée au chant. La lecture, celle du vers comme celle de la prose, se fait à voix haute, et sur un mode qui est sans doute souvent celui de la cantillation. Il y a dans toute cette littérature une dimension théâtrale dont on mesurera plus loin l'importance. Dans cette perspective, le texte n'est qu'une partie de l'œuvre, et l'écrit ne livre celle-ci que mutilée. Que l'on songe à la notation musicale, à la notation neumatique du haut Moyen Age, sans portée et sans clé : elle ne permet pas de déchiffrer la mélodie, mais elle aide celui qui la connaît déjà à la retrouver avec exactitude, et lui fournit dans ce cas des indications parfois étonnamment précises. Il serait artificiel de pousser trop loin la comparaison entre la notation musicale et celle du texte. Mais il est bien vrai que le texte médiéval se veut avant tout un aide-mémoire.

L'écrit n'est donc pas le tout de la culture médiévale, tant s'en faut. Mais cette situation vaut pour le latin presque autant que pour la langue vulgaire. Les livres sont rares, même si, en règle générale, les œuvres latines les plus répandues sont recopiées à un bien plus grand nombre d'exemplaires que celles en langue vulgaire. Ils sont chers. Leur circulation est limitée. Une bibliothèque d'une cinquantaine de volumes est considérée comme riche. Au XIIIe siècle encore, lorsque les universités sont fondées, leur fonctionnement témoigne du primat de l'oralité et de la médiatisation de la lecture par la voix jusque dans les sphères les plus élevées du savoir : le cours consiste dans la lecture à voix haute, accompagnée d'un commentaire, d'un texte que les étudiants n'ont pas sous les yeux. Et l'université répugne tant à l'écriture que les examens resteront uniquement oraux jusqu'à la fin du XIXe siècle. Tout ce que l'on peut dire est donc que le latin — et pour cause — a été écrit avant la langue vulgaire et que les professionnels de l'écriture sont aussi les professionnels du latin. Mais, qu'il s'agisse de la transmission d'un savoir ou de la mise en valeur d'effets esthétiques, l'oral occupe une place prépondérante dans l'ensemble de la culture médiévale, latine comme vernaculaire, et non pas seulement dans cette dernière.

Est-ce à dire qu'il s'agit réellement d'une culture orale et que la place de l'écrit y est secondaire ? Loin de là. L'accession au monde de l'écrit revêt une valeur considérable, à la fois sociale et religieuse. L'écrit s'impose comme source et comme autorité : nous verrons les auteurs de romans et de chansons de geste se réclamer systématiquement, à tort ou à raison, d'une source écrite, de préférence latine. L'autorité par excellence, c'est la Bible, le Livre, l'Ecriture. Au jour du Jugement, le salut ou la damnation de chacun dépendront de la trace écrite qu'aura laissée sa vie, chante le *Dies irae : Liber scriptus referetur / In quo totum continetur* (« On apportera le livre écrit où tout est contenu »). Et, selon de nombreux *exempla*, ou anecdotes édifiantes, la pénitence efface de ce grand livre divin le péché, dont le diable lui-même perd alors la mémoire. Dans le domaine proprement littéraire, l'attention portée à la transmission correcte des textes dément toute indifférence, même relative, à l'écrit. Quant aux marques de l'oralité préservées par certains textes, elles sont d'interprétation ambiguë dès lors que l'écrit les fossilise. L'oral, dont on a vu qu'il est essentiel, est donc aussi, on le voit à présent, second. La performance est pratiquement nécessaire à l'accomplissement de l'œuvre — c'est-à-dire à la réalisation de ses virtualités et dans quelques cas peut-être, mais de façon douteuse, à sa composition — ou à la transmission ponctuelle du savoir. Mais la conservation est confiée à l'écrit, qui fait autorité. Et cela est vrai, là encore, aussi bien dans le domaine latin que dans celui de la langue vulgaire, dès l'instant où elle accède à l'écriture.

Enfin, si à l'opposition entre l'écrit et l'oral ne répond pas terme à terme celle entre le latin et le vernaculaire, celle entre une culture savante et une culture populaire n'y répond pas davantage. Certes, il existe des croyances et des coutumes populaires qui n'accèdent au monde de l'écriture que lorsque les clercs les mentionnent, avec méfiance ou mépris, au mieux sans les comprendre, ou lorsqu'un pénitentiel enjoint aux confesseurs de s'en enquérir pour les condamner. Mais ce sont les clercs eux-mêmes qui tiennent à accentuer le contraste entre l'univers des *rustici* et le leur. En réalité, les types de sensibilité, de croyances, de raisonnement diffèrent peu de l'un à l'autre. Au demeurant, la ligne de partage entre les deux, ou d'une façon générale celle entre les personnes cultivées et celles qui ne le sont pas, ne passe pas nécessairement par la capacité de lire et d'écrire, ni même par la connaissance du latin. Les traces d'une culture populaire sont plus nombreuses et plus précises dans les textes latins que dans ceux en langue vulgaire. Des princes laïques, qui ne lisent et n'écrivent pas eux-mêmes, qui ne savent pas ou à peine le latin, mais qui se font chanter ou lire des chansons de geste, des vies de saints, des compilations historiques et bibliques, des romans, sont plus « cultivés » qu'un tâcheron de scribe qui les leur copie, qu'un marchand capable de tenir ses livres de comptes et qui connaît les lettres et les chiffres, mais rien d'autre, ou même qu'un moine obscur, pourtant frotté de latin, au fond de son monastère. Ils sont probablement plus éloignés aussi d'une « culture populaire ». Ce sont des « lettrés » qui ne savent ni lire ni écrire, ou qui, s'ils les possèdent, ne pratiquent pas ces compétences, tandis que d'autres qui les pratiquent sont de fait étrangers au monde des lettres. Les uns et les autres sont, mais en sens inverse, à la fois lettrés et illettrés, selon que l'on prête à ces termes un sens métaphorique ou leur sens propre.

Les deux questions que nous posions au début de ce développement n'appellent donc pas de réponses simples. L'écrit est-il un critère de culture ? Oui, sans aucun doute, mais non pas de façon rigide ou exclusive, car il n'a pas l'autonomie qui est la sienne de nos jours. Son utilisation suppose au contraire un passage par l'oralité. L'écrit est-il du côté du latin, l'oral du côté de la langue vulgaire ? Non, pour la même raison : le monde médiéval n'est pas un monde de la pure oralité, mais l'écrit ne s'y suffit jamais totalement à lui-même. Oui cependant, en un sens, puisqu'il n'y a pas de maîtrise du latin sans maîtrise de l'écriture et que longtemps l'inverse est presque vrai, alors que le recours à l'écriture est pour la langue vulgaire une innovation et une conquête — qui marquent, par nécessité, le moment où apparaît à nos yeux la littérature en langue vulgaire, mais n'excluent pas qu'elle ait pu vivre auparavant une existence purement orale.

Clerc et jongleur

Mais aux deux couples latin/langue vulgaire et écrit/oral il faut en ajouter un troisième qui touche les acteurs et les auteurs de la littérature : le couple clerc/jongleur. Un clerc est à la fois un homme d'Eglise et quelqu'un qui sait lire, quelqu'un qui est capable de comprendre les textes. Le mot unit les deux notions de façon indissociable. Au clerc s'oppose donc le laïc illettré. En lui s'unissent l'activité intellectuelle et l'effort spirituel. A lui s'attachent l'autorité de l'Ecriture et celle qui émane de tous les livres. Sa langue est celle de l'Eglise, le latin. C'est lui qui a été l'instrument de la conservation des lettres latines au sein de l'Eglise, dont on a parlé plus haut. Comme il a le monopole de l'écrit, le sort de la jeune langue vulgaire est entre ses mains. Il dépend de lui qu'elle devienne ou ne devienne pas la langue d'une culture écrite. Au moment où nous en sommes, rien n'est encore joué. Mais on verra que les clercs passeront à la langue vulgaire comme l'Eglise était passée aux barbares. Un grand nombre d'écrivains français du Moyen Age — la majorité, sans doute — sont des clercs, pour ne rien dire des copistes. Et tous, tant s'en faut, ne tireront pas cette littérature du côté de leurs préoccupations naturelles, les sujets religieux ou encore le monde des écoles.

Du côté du clerc, l'écrit et l'Eglise. En face, le jongleur, condamné par l'Eglise, est l'homme — ou la femme — de l'oral et de la performance. Le mot *joculator* est attesté dès le VIe siècle, et son lien étymologique avec « jeu » dit assez que le jongleur est un amuseur itinérant. Héritier sans doute des acteurs ambulants de l'Antiquité tardive, mais peut-être aussi des bardes celtiques et germaniques chanteurs de poèmes épiques, le jongleur peut avoir les activités les plus variées : acrobate, montreur d'animaux, mime, musicien, danseur, chanteur. Tous les jongleurs ne se consacrent donc pas à la récitation ou au chant de poèmes, mais ceux qui l'ont fait ont joué un rôle considérable dans la diffusion, et peut-être dans l'élaboration, de certaines formes poétiques, en particulier les chansons de geste, mais aussi la poésie lyrique. Au XIIIe siècle, le pénitentiel de Thomas Cabham les divise en trois catégories, parmi lesquelles celle des chanteurs de geste et de vies de saints, seuls exclus de la condamnation qui frappe les autres. Interprètes, mais parfois aussi créateurs — la coupure entre les deux activités n'étant pas aussi nette qu'on l'a dit -, toujours en chemin à la recherche d'un mécène généreux, ce sont eux qui assurent le plus souvent l'actualisation orale et vocale nécessaire à l'œuvre médiévale. C'est pourquoi on voit leur rôle décroître à mesure que la civilisation de l'écrit progresse. A partir du XIIIe siècle, ils cherchent à être employés à plein temps par un grand seigneur et à occuper à sa cour un statut de *ministerialis*, de ménestrel. Mais les véritables poètes fonctionnaires seront les grands rhétoriqueurs du XVe siècle.

Le clerc et le jongleur sont donc les deux promoteurs de la littérature française à ses débuts, et la place qu'ils occuperont par rapport à elle pendant tout le Moyen Age reflète sa propre évolution.

Mais n'anticipons pas, et revenons au point où nous en étions : au moment où la langue romane s'est constituée, mais où il dépend des clercs qu'elle produise des textes.

CHAPITRE II

Les premiers textes

De son propre mouvement, l'Eglise se souciait peu, sans doute, de mettre la compétence des clercs au service de la jeune langue romane. Mais elle y était contrainte. Les fils de Louis le Pieux y avaient été contraints en 842 pour des raisons politiques, afin que chacun comprît le serment qu'il prêtait. Elle-même y était contrainte pour des raisons pastorales. Le canon du concile de Tours de 813, cité plus haut, d'autres encore tout au long du IXe siècle, les exposent dans leur simplicité : la prédication au peuple devait se faire dans sa langue, sous peine de renoncer à poursuivre son évangélisation souvent encore imparfaite. Dès avant la séparation du latin et de la langue vulgaire, le souci de prêcher dans une langue simple, accessible à tous, et la nécessité de renoncer à l'élégance oratoire, si importante dans les lettres latines, s'étaient souvent manifestés, par exemple, au tout début du VIe siècle déjà, dans les sermons de saint Césaire d'Arles.

Pour la période antérieure au véritable essor de la littérature française, on a conservé un seul témoignage écrit de cet effort de prédication en langue vulgaire. C'est le brouillon fragmentaire, noté pour moitié en clair pour moitié en notes tironiennes, d'un sermon sur le thème de la conversion des Ninivites par Jonas prêché à Saint-Amand-les-Eaux (Nord) vers 950, à l'occasion d'un jeûne de trois jours destiné à obtenir que la ville fût délivrée de la menace des Normands. Le texte, qui se réduit à une paraphrase du commentaire de saint Jérôme sur le *Livre de Jonas*, est rédigé partie en latin, partie en français. D'un côté, l'auteur est plus familier du français que du latin, car la seule phrase qui soit entièrement de son cru, sur un sujet qui lui tient à cœur, celui de la conversion ultime des Juifs, est aussi la seule qui soit entièrement en français. D'un autre côté, il est si dépendant de son modèle latin que quand il le suit, il ne peut s'empêcher de terminer en latin des phrases qu'il a commencées en français. Il témoigne ainsi du fait que les habitudes et les modèles culturels l'emportent sur la pure et simple compétence linguistique.

Au demeurant, les humbles homélies au peuple dans sa langue n'étaient pas destinées à être écrites. Le sermon sur Jonas lui-même ne nous est parvenu qu'à l'état de brouillon. L'effort vers la langue vulgaire qui se manifeste ainsi ne tend donc pas à en faire une langue de culture écrite. Et cet effort purement utilitaire ne suppose aucune attention aux ressources esthétiques et aux virtualités littéraires de cette langue. Il n'en va pas de même avec la conservation par écrit des premiers poèmes français, si balbutiants soient-ils. Le choix et l'agencement des mots, le respect du mètre et de l'assonance montrent que l'on a voulu agir sur les esprits par les ressources propres de la langue. Et le résultat a paru digne d'être écrit. Pourtant ces poèmes, presque autant que les sermons, reflètent le souci pastoral de l'Eglise. C'est lui qui leur a valu d'être conservés. Pas plus qu'à l'Eglise ils n'échappent aux modèles latins. Ils ne sont nullement, bien entendu, la transcription de ces chansons populaires dont conciles et sermons flétrissaient depuis longtemps le contenu luxurieux et l'interprétation provocante, le plus souvent par des femmes. Mais ils ne reproduisent pas davantage les chants pourtant pieux, bien que barbares, dont, à Conques, les *rustici* honoraient sainte Foy. Ce sont des transpositions en langue vulgaire de poèmes religieux latins.

C'est le cas du plus ancien d'entre eux, la *Séquence de sainte Eulalie* (vers 881-882). Dans le manuscrit de Valenciennes où cette brève pièce de vingt-neuf vers est conservée, elle fait suite à un autre poème, mais un poème latin, en l'honneur de la même sainte. Son rôle est de faire connaître aux fidèles la sainte dont la liturgie du jour célèbre la fête. Ce rôle pédagogique transparaît jusque dans les différences qui la séparent du poème latin. Alors que ce dernier est une sorte de louange rhétorique de la sainte, et suppose donc que sa vie est déjà connue, elle offre un bref récit de son martyre. Mais les deux pièces sont destinées à être insérées dans la liturgie du jour. L'une et l'autre sont des séquences, c'est-à-dire des poèmes destinés à être chantés entre deux jubilations de l'alléluia et sur le même air. Les rimes en *-ia* au début et à la fin du poème français comme sa place dans le manuscrit semblent confirmer qu'il a été lui aussi composé pour remplir cette fonction. Le plus ancien monument de la littérature française n'est pas seulement un poème religieux, mais encore un poème liturgique, inséré dans le déploiement poétique de l'office, une sorte de variante vernaculaire d'un poème latin.

Ces traits se retrouvent dans tous les poèmes romans conservés de la fin du IXe à la fin du XIe siècle. Seule l'insertion liturgique s'estompe peu à peu. Ces poèmes, plus longs et divisés en strophes, échappent désormais au modèle de la séquence. Ils n'en restent pas moins liés aux fêtes de l'Eglise. C'est le cas d'une *Vie de saint Léger* du Xe siècle et d'un récit de la Passion de la fin du même siècle, tous deux contenus dans le même manuscrit de Clermont-Ferrand et dont la mélodie est notée. Ces deux poèmes peuvent certes avoir été intégrés à la liturgie le jour de la fête du saint ou, pour la *Passion*, le dimanche des Rameaux ou pendant la Semaine sainte, mais ils peuvent aussi avoir été chantés dans les mêmes occasions par des jongleurs se produisant pour leur propre compte — ces chanteurs de vies de saints qu'épargne la condamnation de Thomas Cabham. La *Chanson de sainte Foy d'Agen* — toujours la petite sainte de Conques ! —, beau poème en langue d'oc du second tiers du XIe siècle, le laisse deviner. Cette chanson, lit-on au vers 14, est « belle en tresque » : le mot désigne d'ordinaire une sorte de farandole, mais signifie sans doute ici que la chanson doit accompagner une procession en l'honneur de la sainte et qu'elle peut donc avoir une fonction para-liturgique. Elle voisine d'ailleurs dans le manuscrit avec un office de sainte

Foy. Cependant, elle n'est nullement en elle-même un poème liturgique, non seulement à cause de sa longueur (593 vers), mais surtout parce qu'elle se place elle-même dans la bouche d'un jongleur. Un jongleur qui marque la distance qui le sépare du monde latin et clérical en le présentant comme sa source, ce qui implique que ce n'est pas son propre monde : il a entendu lire un livre latin (v. 1-2) ; il a entendu chanter cette chanson par des clercs et des lettrés — *gramadis* — (v. 27-28). Un jongleur qui cherche à s'attirer la bienveillance de son auditoire et paraît attendre une rémunération.

On observe le même développement, ou la même excroissance à partir de la liturgie, dans le domaine qui deviendra celui du théâtre religieux. Les drames liturgiques sont des paraphrases dramatiques et musicales de vies de saints et d'épisodes de la Bible, composées et représentées dans les monastères et dans leurs écoles pour illustrer la solennité du jour. Ils sont en latin, bien entendu, mais dès le XIe siècle la langue vulgaire fait son apparition dans le *Sponsus*, qui met en scène la parabole des vierges folles et des vierges sages, et dont certains passages sont en français.

Pendant toute cette période, on ne trouve aucune trace d'une littérature profane vernaculaire, alors qu'il en existe une en latin, à une exception près pourtant, minuscule et bizarre, le poème du Xe siècle connu sous le nom de l'*Aube bilingue de Fleury* — le monastère de Fleury, aujourd'hui Saint-Benoît-sur-Loire, était à l'époque un centre intellectuel très important, et un haut lieu du drame liturgique. Une aube, comme on le verra plus loin, est un poème qui évoque la douloureuse séparation des amants au matin. Celle-ci, simple évocation de l'aurore qui va poindre, est en latin, mais chaque strophe est suivie d'un refrain de deux vers en langue romane. Mais quelle langue romane ? On n'a jamais pu l'établir avec certitude, pas plus qu'on n'a réussi à vraiment comprendre ces deux vers, bien que des dizaines de traductions, parfois sans aucun rapport entre elles, aient été proposées. C'est, a récemment suggéré Paul Zumthor, qu'ils ne présentent en réalité aucun sens. Quelques mots clés de toute chanson d'aube — le cri du veilleur, les larmes — émergeraient seuls, bien reconnaissables, d'un sabir qui sonne comme de la langue romane mais qui ne voudrait rien dire. L'hypothèse est audacieuse et séduisante. De toute façon — mais plus encore, paradoxalement, si elle est fondée — l'aube de Fleury est, à date aussi ancienne, presque le seul témoignage d'un intérêt éprouvé par les clercs pour une poésie vernaculaire qui n'est pas une simple transposition de la leur et dont le contrôle leur échappe, pour une poésie vernaculaire dont ils s'inspirent au lieu de l'inspirer. Intérêt, fascination peut-être, que manifeste l'introduction de la langue romane dans le refrain, à la manière d'une citation, et qu'elle manifeste plus encore s'il ne faut y voir qu'une imitation phonétique d'une langue non assimilée et non maîtrisée, ou que l'on prétend telle pour en conserver intact le pouvoir d'étrangeté.

Si important que soit ce poème qui laisse deviner dans l'écrit l'écho d'une poésie autonome en langue romane, il reste une exception. L'évolution générale de nos premiers textes littéraires obéit jusqu'à la fin du XIe siècle à la dérive décrite plus haut, qui les éloigne peu à peu, mais lentement, des modèles liturgiques latins dont ils sont issus. Le point extrême de cette dérive est atteint vers cette époque avec le *Boeci* en langue d'oc et la *Vie de saint Alexis* en français. Le *Boeci* est un fragment d'une paraphrase du *De Consolatione Philosophiae*, écrit à la fin du Ve siècle par Boèce dans les prisons de son maître, le roi Théodoric, et dont l'influence littéraire et philosophique sera considérable pendant tout le Moyen Age. Ses 278 vers correspondent à une cinquantaine de lignes de son modèle ; si la paraphrase était complète, elle devrait compter près de 30 000 vers. Bien que Boèce ait parfois été considéré comme un saint et un martyr, c'est un esprit plus néo-platonicien que réellement chrétien, au point que certains de ses lecteurs médiévaux en ont été troublés. C'est donc peu de dire que le *Boeci* est sans rapport avec la liturgie. Cependant c'est une œuvre qui rompt moins que toute autre avec la latinité, puisque c'est une traduction, et avec l'univers clérical, puisque son modèle est un texte philosophique qui joue un rôle majeur dans la vie intellectuelle du temps.

La *Vie de saint Alexis*, qui est peut-être légèrement plus ancienne, a une portée bien plus considérable. Jamais encore le français n'avait produit un poème aussi long (625 vers), à la versification aussi élaborée, à la technique littéraire aussi maîtrisée. Par instants, le ton, la manière des chansons de geste, dont l'émergence est désormais proche, sont déjà sensibles, de même que les strophes de cinq décasyllabes assonancés annoncent la laisse épique. L'œuvre connaîtra d'ailleurs un succès durable, qui ne sera pas entièrement éclipsé par le développement ultérieur de la littérature : on la trouve dans cinq manuscrits, copiés entre le XIIe et le XIVe siècles. C'est pour l'avoir entendu réciter par un jongleur qu'en 1174 un riche bourgeois de Lyon, Pierre Valdès, distribua ses biens aux pauvres et se mit à prêcher la pauvreté évangélique, précurseur de saint François d'Assise, mais précurseur malheureux, puisque, rejeté par l'Eglise, il devint comme malgré lui le fondateur éponyme de la secte des Vaudois.

La *Vie de saint Alexis* témoigne du degré d'élaboration et de qualité littéraires que pouvait désormais atteindre la littérature religieuse en français. Cette littérature restera extrêmement abondante pendant tout le Moyen Age, sous la forme de vies de saints, de récits de miracles, de prières en vers, de traités édifiants, même si les nécessités de l'exposé la sacrifient un peu dans les pages qui suivent à la littérature profane. Mais elle reste fondamentalement la transposition en langue vulgaire d'une littérature latine, de même que la *Vie de saint Alexis* adapte une vie latine de ce saint, traduite d'une vie grecque qui s'inspire elle-même d'un texte syriaque. Le mouvement apologétique, pastoral, missionnaire dont les premiers textes littéraires français sont le fruit ne pouvait par lui-même donner naissance à une littérature réellement originale. Si la littérature française n'avait connu que cette première naissance, elle aurait végété à l'ombre des lettres latines. Mais dans les dernières années du XIe siècle se manifeste une seconde naissance, plus soudaine que la première, plus surprenante et dont les suites allaient être plus fécondes.

DEUXIÈME PARTIE

L'épanouissement

CHAPITRE III

Les chansons de geste

Dans les dernières années du XIe siècle apparaissent à peu près simultanément deux formes littéraires très différentes, mais qui toutes deux rompent nettement avec les modèles que pouvaient offrir les lettres latines, et qui toutes deux allaient constituer pour un temps les manifestations essentielles de la littérature romane : la chanson de geste en langue d'oïl et la poésie lyrique des troubadours en langue d'oc. La plus ancienne chanson de geste, la *Chanson de Roland* dans la version du manuscrit d'Oxford, date sans doute des alentours de 1098 et le premier troubadour, le comte de Poitiers et duc d'Aquitaine Guillaume IX, a vécu de 1071 à 1127.

Définition et nature du genre

Les chansons de geste sont des poèmes épiques. Elles confirmeraient donc la loi qui veut que l'épopée soit partout une manifestation archaïque de la littérature si la dialectique de l'innovation et de la continuité propre au Moyen Age ne venait une fois de plus brouiller le jeu. Ce sont des poèmes narratifs chantés — comme leur nom l'indique — qui traitent de hauts faits du passé — comme leur nom l'indique également. Le mot *geste* correspond en effet à un nominatif féminin singulier *gesta* qui s'est substitué au neutre pluriel *gesta*, du participe passé de *gero*, « choses accomplies, hauts faits, exploits ».

Ces poèmes se définissent par une forme et par un contenu particuliers. D'abord par une forme particulière : ils sont composés de *laisses* (strophes de longueur irrégulière) homophones et assonancées. Le mètre employé est le décasyllabe à césure mineure (4/6) ou, moins souvent, majeure (6/4). Vers la fin du XIIe siècle, la mode de l'alexandrin concurrencera le décasyllabe. Mais au XVIe siècle encore le décasyllabe est senti comme le mètre épique par excellence, puisque c'est lui que choisit Ronsard pour sa *Franciade*. On note que la *Vie de saint Alexis* était écrite en décasyllabes homophones et assonancés, mais que ses strophes étaient régulières et brèves (5 vers) ; la *Chanson de sainte Foy d'Agen*, quant à elle, était composée de laisses homophones et assonancées, mais le mètre en était l'octosyllabe, le vers usuel de la poésie médio-latine et qui deviendra celui du roman.

Le mot *laisse* à lui seul peut donner une première idée de ce qu'est l'esthétique des chansons de geste. Ce dérivé du verbe *laissier*, venant du bas latin *laxare*, signifie « ce qu'on laisse » et revêt à partir de là des sens variés : celui de « legs, donation » aussi bien que celui d'« excrément ». Dans le domaine littéraire il désigne d'une façon générale un morceau, un paragraphe, une tirade d'un texte ou d'un poème, qui forme un ensemble, s'étend d'un seul tenant, est récité ou chanté d'un seul élan, sans interruption. La composition épique en « laisses » implique ainsi une suite d'élans successifs, séparés plus qu'enchaînés : on lâche la bonde, si l'on peut dire, à la profération poétique, puis, au bout d'un moment, on s'arrête, on s'interrompt, on reprend son souffle, et on repart d'un nouvel élan sur une autre assonance, qui marque la rupture comme le font aussi la cadence mélodique en fin de laisse et parfois le vers plus court qui la termine. D'où les effets poétiques particuliers que produit et dont use la chanson de geste. Pas de pure narrativité chez elle, pas de linéarité du récit, comme si l'intérêt n'était pas au premier chef de savoir ce qui va se passer ensuite. Au contraire, elle paraît jouer d'un perpétuel mouvement de ressac et se plaît aux répétitions et aux échos : succession de laisses répétitives, qui ne diffèrent que par l'assonance et par d'infimes variations de point de vue ou de contenu, selon le procédé dit des « laisses parallèles » ; reprises incessantes de formules couvrant un hémistiche ou parfois un vers entier ; effets de refrain comme le fameux *Halt sunt li pui...* de la *Chanson de Roland* ; effets de symétrie — toujours dans la *Chanson de Roland*, celle entre la désignation de Ganelon comme ambassadeur, puis de Roland comme chef de l'arrière-garde ou celle née des refus successifs opposés par Charlemagne aux ambassadeurs qui se présentent.

La chanson de geste fait ainsi appel à ce qu'on pourrait appeler les effets physiques du langage : la fascination et presque l'hypnose de la répétition ; le vertige de la même assonance résonnant vers après vers tout au long de la laisse et celui né d'une mélodie très simple, d'une mélopée répétée, toujours identique, vers après vers. A vrai dire, ces mélodies ne nous sont pas directement parvenues. Mais notre ignorance même confirme leur simplicité et leur caractère stéréotypé : on jugeait inutile de les noter. Et nous pouvons nous en faire une idée par des témoignages indirects : un vers d'une chanson de geste parodique noté dans le *Jeu de Robin et de Marion* et les mélodies de certaines chansons de toile, dont on reparlera. Ces effets sont accrus par le style propre aux chansons de geste : des phrases courtes et frappées, souvent bornées aux limites du vers, épousant le martèlement à la fois régulier et inégal du décasyllabe aux hémistiches asymétriques ; le goût de la parataxe et la répugnance à la subordination. Et de fait, il semble bien que le public médiéval n'ait pas seulement goûté les chansons de geste pour les histoires qu'elles racontent, mais aussi pour l'impression affective qu'elles produisent, puisque, d'après le témoignage de deux romans du début du XIIIe siècle, on prenait plaisir à s'en faire chanter de brefs fragments — une laisse, par exemple — isolés de leur contexte.

L'autre trait caractéristique des chansons de geste est leur contenu. C'est le trait le plus visible et celui qui a frappé d'abord. Les chansons de geste traitent de sujets essentiellement guerriers qui ont la particularité de se situer toujours à l'époque carolingienne, le plus souvent au temps de Charlemagne ou de son fils Louis le Pieux. Les personnages qu'elles mettent en scène sont des barons de Charlemagne qui combattent les Sarrasins ou défendent leurs droits contre l'empereur ou son faible fils. Elles se regroupent en cycles autour des mêmes personnages ou des mêmes lignages et se divisent ainsi en trois branches principales : la geste du roi, dont le noyau est la *Chanson de Roland* ; la geste des barons révoltés, avec Doon de Mayence, Girart de Roussillon, Ogier le Danois ; la geste de Garin de Monglane, dont le héros principal est Guillaume d'Orange. A partir d'une première chanson qui développe un épisode frappant et un thème crucial — la *Chanson de Roland*, la *Chanson de Guillaume* — on en compose d'autres qui remontent vers le passé en racontant les « enfances » et les premiers exploits du héros, l'histoire de son père, puis de son grand-père, etc., ou qui poursuivent vers l'avenir et traitent de sa vieillesse, comme dans le *Moniage Guillaume*, ou de ses descendants.

Toutes les chansons de geste placent donc leur action à l'époque carolingienne. Mais la plus ancienne qui nous ait été conservée date, dans l'état où nous la connaissons, de l'extrême fin du XIe siècle. Pourquoi traiter systématiquement d'événements qui se sont produits — ou qui sont supposés s'être produits — trois siècles plus tôt ? Ou faut-il croire que les chansons de geste remontent à l'époque carolingienne, qu'elles sont contemporaines des événements qu'elles relatent et que nous ne les saisissons qu'au moment où, après avoir pendant des siècles vécu dans l'oralité, elles ont fini par être écrites ? Ces questions ont suscité depuis plus d'un siècle des réponses contradictoires et un débat souvent passionné. Avant de le résumer et de faire apparaître ses implications et ses prolongements, au-delà de la question traditionnelle et insoluble de l'origine du genre, on va tenter de l'approcher à travers un cas concret, le plus ancien, le plus illustre, le plus intéressant, celui de la *Chanson de Roland*.

L'exemple de la Chanson de Roland

La *Chanson de Roland* raconte comment, au retour d'une expédition victorieuse de sept ans en Espagne, l'arrière-garde de l'armée de Charlemagne, commandée par son neveu Roland entouré des douze pairs, est attaquée par les Sarrasins à Roncevaux, à la suite de la trahison de Ganelon, le beau-père de Roland. Le héros et tous ses compagnons trouvent la mort dans cette bataille, mais seront vengés par l'empereur.

Ce poème, dont la gloire rend ce bref résumé superflu, nous a été conservé par six manuscrits, sans compter ceux qui n'en donnent que de brefs fragments. C'est bien le même poème qui est contenu dans tous ces manuscrits, et pourtant, de l'un à l'autre, il n'y a pas deux vers qui soient strictement identiques. Le mètre est tantôt le décasyllabe, tantôt l'alexandrin — sans parler des cas où l'on passe du premier au second dans le courant du poème, comme on passe aussi parfois de l'assonance à la rime. La longueur même du texte varie de 4 000 vers dans le manuscrit le plus ancien à près de 9 000 dans un des plus récents (fin du XIIIe siècle). Ces variations fournissent des indices intéressants sur la transmission et l'évolution des chansons de geste. Mais elles justifient aussi que l'on considère en elle-même, comme on l'a fait souvent, la version la plus ancienne, qui est aussi à nos yeux la plus saisissante, celle que livre le manuscrit Digby 23 de la Bibliothèque Bodléienne d'Oxford (O). C'est elle que l'on désigne quand on parle sans autre précision de la *Chanson de Roland*.

Elle a probablement été composée aux alentours de 1100. Guère avant, car un faisceau d'indices converge vers cette date : la langue du poème, certains détails qui semblent un écho de la première croisade, la mention des tambours et des chameaux dont l'emploi avait effrayé les chrétiens à la bataille de Zalaca en 1086. Pas après, car la chanson — mais n'en existait-il pas une version antérieure ? — est extrêmement populaire dès les premières années du XIIe siècle. Elle a été composée aux alentours de 1100, mais l'événement qui lui fournit son sujet, la bataille de Roncevaux, s'est déroulé le 15 août 778. Voilà en quels termes se pose, appliquée à la *Chanson de Roland*, l'énigme des chansons de geste.

Que savons-nous de cet événement ? Pour l'année 778, les *Annales royales* mentionnent une expédition victorieuse de Charlemagne en Espagne, mais ne soufflent mot d'une quelconque défaite. Cependant, une seconde rédaction postérieure d'une vingtaine d'années ajoute qu'au retour d'Espagne, beaucoup de chefs francs furent tués dans une embuscade tendue par les Basques, qui pillèrent les bagages avant de s'enfuir. Aucune des victimes n'est nommée. Vers 830, la *Vita Karoli* d'Eginhard rapporte que dans la traversée des Pyrénées l'empereur « éprouva quelque peu la perfidie des Basques » et ajoute que « dans cette bataille furent tués le sénéchal Eggihard, Anselme, comte du palais, et Roland, duc de la Marche de Bretagne, entre beaucoup d'autres ». L'épitaphe d'Eggihard, qui nous a été conservée d'autre part, précise qu'il est mort le 15 août, ce qui nous permet de connaître le jour exact de la bataille. Dix ans plus tard enfin, on lit, non sans frustration, dans la *Vita Hludovici imperatoris* de l'auteur désigné comme l'Astronome limousin : « Ceux qui marchaient à l'arrière-garde de l'armée furent massacrés dans la montagne ; comme leurs noms sont bien connus, je me dispense de les redire. »

Trois conclusions se dégagent de ces témoignages. D'abord, loin que l'événement s'efface peu à peu des mémoires, il est mentionné avec de plus en plus d'insistance à mesure que le temps passe, jusqu'au moment où l'insistance devient inutile tant il est connu. Ensuite, Eginhard nomme bien Roland, mais en dernier — et pas dans tous les manuscrits. C'est à ses yeux le moins considérable des trois morts illustres de la bataille. C'est aussi le seul dont nous ne savons rien, tandis que le sénéchal Eggihard et le comte palatin Anselme nous sont connus d'autre part. Enfin, tous s'accordent pour voir dans l'embuscade l'œuvre des Basques. Tout en confirmant la célébrité croissante — et surprenante — de la bataille de Roncevaux, la *Chanson de Roland* prendrait deux libertés fondamentales avec l'Histoire, en donnant à Roland une importance qu'il n'a jamais eue — à supposer même que le personnage ait réellement existé — et en substituant les Sarrasins aux Basques.

Mais les historiens arabes donnent des faits une version assez différente. Selon Ibn Al-Athir (XIIIe siècle), Charlemagne serait venu en Espagne à la demande du gouverneur de Saragosse, Sulayman Ben Al-Arabi, révolté contre le calife omeyade de Cordoue. Mais, arrivé sur les lieux, il se serait vu fermer les portes de Saragosse à la suite d'un revirement de Ben Al-Arabi. Ayant réussi à s'emparer de ce dernier, il serait reparti vers la France en l'emmenant prisonnier, mais, lors du passage du col de la Ibañeta, c'est-à-dire à Roncevaux, les fils de Ben Al-Arabi auraient, sans doute appuyés par les Basques, attaqué les Francs et délivré leur père. La bataille de Roncevaux n'aurait donc pas été un simple accrochage avec des montagnards ayant pour seule ambition de piller les bagages, mais un combat contre les Sarrasins. Elle aurait été pour Charlemagne un revers assez important.

Divers recoupements rendent cette version plausible. Elle s'accorde avec certains détails des Annales latines, qui mentionnent par exemple la capture de Ben Al-Arabi, mais ne parlent plus du tout de lui ensuite, dans des circonstances où cet otage aurait pourtant constitué un atout dans les mains de Charlemagne. Si elle est vraie ou proche de la vérité, les témoignages de l'historiographie latine en reçoivent une signification nouvelle et la place croissante faite à la défaite devient parfaitement explicable. Les *Annales* officielles auront en effet tenté sur le moment de la passer sous silence. Mais elle était si connue, elle avait tellement marqué les esprits, qu'il est devenu impossible, au fil des années, de ne pas la mentionner du bout des lèvres, quitte à en minimiser l'importance, et cela au prix d'incohérences de détail qui laissent soupçonner la vérité. Un raid de pillards sur les bagages, vraiment ? Que faisaient alors au milieu des bagages des personnages aussi considérables que le sénéchal — une sorte de chef d'état-major — et le comte du palais — une sorte de commandant de la garde personnelle de Charlemagne ?

Tout cela reste une hypothèse. Si elle était avérée, pourtant, la longue mémoire qui, trois siècles plus tard, fait entendre sa voix dans le poème français aurait raison contre l'histoire officielle — au moins touchant la nature de la bataille, car tout le reste est évidemment de pure fiction, l'existence historique d'un Roland demeure une énigme et les autres personnages sont assurément légendaires.

Mais cette longue mémoire n'est-elle pas une vue de l'esprit ? Peut-on faire parler le « silence des siècles », comme disait Bédier ? Peut-on découvrir la trace d'une légende de Roland antérieure à la *Chanson de Roland*, voire d'une

Chanson de Roland antérieure à la version d'Oxford ? On a observé depuis longtemps que certains traits de la Chanson telle que nous la connaissons sont trop archaïques pour la fin du XIe siècle : ainsi l'arc que Charlemagne remet solennellement à Roland avant la bataille en signe de délégation du commandement ; ainsi les limites que la *Chanson* fixe à la France, et qui sont celles de la France carolingienne de Charles le Simple, non celles de la France des premiers Capétiens. Au début du XIIe siècle — donc après le *Roland* d'Oxford, ce qui enlève un peu de poids à son témoignage —, l'historien Guillaume de Malmesbury affirme qu'à la bataille d'Hastings, en 1066, un jongleur avait entonné la *cantilena Rolandi* pour exciter les Normands au combat. Des témoignages indirects laissent supposer l'existence d'une activité épique en langue vulgaire à date ancienne : à la fin du IXe siècle, le Moine de Saint-Gall fait allusion à des récits de vieux soldats tandis que le Poeta Saxo mentionne des panégyriques de grands personnages en langue vulgaire ; des textes latins comme le « fragment de La Haye » (entre 980 et 1030) et le *Waltharius* (IXe ou Xe siècle) semblent comme un écho anticipé des chansons de geste. Surtout, la *Nota Emilianense*, copiée vers 1065-1070 dans un manuscrit espagnol, livre, trente ou quarante ans avant le poème d'Oxford, un résumé de la *Chanson de Roland* qui mentionne, à côté de Roland, Olivier, l'évêque Turpin et Ogier, Guillaume *alcorbitunas* — « au nez courbe » avant d'être « au nez court », le Guillaume d'Orange des futures chansons de geste. Enfin, durant tout le XIe siècle, de l'Anjou au Béarn et de l'Auvergne à la Provence, on voit figurer dans les chartes des couples de frères nommés Olivier et Roland. Détail énigmatique, pourtant, Olivier est toujours l'aîné et Roland le cadet.

Les témoignages sur un *Roland* antérieur à la *Chanson de Roland*, dans l'espace qui sépare la bataille de Roncevaux du poème d'Oxford, existent donc. Mais comment faut-il les interpréter ? Cette question est au centre du débat sur les origines de la chanson de geste.

La question des origines

C'est la première question que les médiévistes du siècle dernier se sont posées, parce qu'ils étaient marqués par les idées du romantisme et en particulier par celles de Herder, puis des frères Grimm, touchant l'âme collective et le génie national des peuples, qui se manifesteraient dans les débuts de leur histoire et de leur culture par des productions artistiques spontanées et anonymes. Mettre au jour les origines des chansons de geste, c'était éclairer, semblait-il, l'identité nationale française. C'est dans cet esprit que Gaston Paris élabore dans un premier temps (1865) la théorie des cantilènes : après les grandes invasions, la conscience d'une nationalité nouvelle se serait fait jour peu à peu à travers une activité poétique, reflet du sentiment national. Cette poésie, lyrique par sa forme, épique par ses sujets, se serait traduite par des cantilènes portant sur les événements historiques. C'était l'époque où l'on pensait que les poèmes homériques sont formés d'une collection de courtes pièces populaires tardivement réunies sous l'apparente cohérence d'une longue épopée. De la même façon Gaston Paris imaginait que des cantilènes brèves avaient fini par être cousues entre elles pour donner naissance aux chansons de geste. Cependant dès 1884 l'Italien Pio Rajna faisait observer d'une part que les chansons de geste n'ont rien de populaire, qu'elles exaltent au contraire l'aristocratie guerrière, d'autre part que nous ne connaissons aucune cantilène et qu'il n'en a très probablement jamais existé. En revanche, ce qui existe à coup sûr dès l'époque carolingienne, c'est l'épopée germanique. Supposer l'existence de cantilènes romanes n'est qu'un moyen de masquer ce que les chansons de geste romanes lui doivent certainement. Gaston Paris devait se rallier en 1888 aux vues de Pio Rajna. Mais pendant longtemps encore, à cette époque de rivalité et de conflits franco-allemands, le débat resta marqué par des arrière-pensées politiques : faire remonter les chansons de geste à l'époque carolingienne, c'était leur reconnaître une origine germanique ; y voir une création du XIe siècle, c'était en faire un genre purement français.

Cette seconde attitude est par excellence celle de Joseph Bédier, qui publie les quatre volumes de ses *Légendes épiques* entre 1908 et 1913. Pour lui les chansons de geste sont fondées sur des thèmes poétiques plus que sur des souvenirs historiques. Loin d'être le produit d'une création continue et le fruit d'une tradition, elles sont créées de toutes pièces par des poètes parfaitement conscients de leur art. Mais l'aspect le plus original de sa théorie s'exprime dès les premiers mots de son ouvrage : « Au commencement était la route, jalonnée de sanctuaires. Avant la chanson de geste, la légende : légende locale, légende d'église. » Sur les routes des pèlerinages, sanctuaires et monastères exposaient les reliques de héros et de martyrs capables d'attirer les pèlerins. La *Chanson de Roland* atteste elle-même (laisse 267) que l'on pouvait voir l'olifant de Roland à Saint-Seurin de Bordeaux, son tombeau à Blaye. Il a suffi d'un poète génial pour donner vie à ces récits dispersés, collectés sur les chemins de Saint-Jacques ou, pour d'autres chansons de geste, de Rome. Philipp-August Becker avait déjà émis cette idée en 1896, puis en 1907. Bédier, en l'étoffant et en en développant la démonstration, ajoute qu'il y a là de la part des clercs un effort délibéré de propagande en faveur des différents sanctuaires. Les clercs ont lu, par exemple, le récit de la mort de Roland dans la *Vita Karoli* d'Eginhard. Ils ont inventé l'histoire des reliques rolandiennes pour les montrer aux pèlerins et faire ainsi de la publicité à leurs églises. Ils ont soufflé cette histoire à un poète, ils lui ont fourni les documents nécessaires pour l'exploiter. A partir de ce qu'ils lui ont raconté, il a écrit de toutes pièces la *Chanson de Roland*. De même, dans leur rivalité avec les moines d'Aniane, ceux de Gellone — aujourd'hui Saint-Guilhem-le-Désert — auraient exploité la légende de leur belliqueux fondateur, proposant ainsi aux poètes le personnage de Guillaume d'Orange. Ceux de Vézelay auraient fait de même avec Girart de Roussillon, etc. Il n'y aurait donc rien eu avant la fin du XIe siècle. S'il a existé une *Chanson de Roland* avant celle que nous connaissons, ce n'était qu'une ébauche grossière. Le *Roland* d'Oxford est une création entièrement personnelle, écrite d'un bout à l'autre par Turold, son signataire énigmatique, trois siècles après l'événement de Roncevaux, sans intermédiaire poétique entre-temps. De la même façon, toutes les autres chansons de geste sont nées de « légendes d'église ». Et Bédier conclut :

« Il ne faut plus parler davantage de chants épiques contemporains de Charlemagne ou de Clovis, ni d'une poésie populaire, spontanée, anonyme, née des événements, jaillie de l'âme de tout un peuple ; il est temps de substituer au mystique héritage des Grimm d'autres notions plus concrètes, d'autres explications plus explicites. » (*Légendes épiques*, IV, p. 474.)

La théorie de Joseph Bédier, soutenue par le talent hors du commun de son auteur, s'est largement imposée pendant plusieurs décennies. Mais elle avait été élaborée à une époque où le « silence des siècles » n'avait pas encore parlé et où l'on ignorait, par exemple, les couples de frères Olivier et Roland ou la *Nota Emilianense*. Et elle frisait le paradoxe en minimisant à l'extrême l'existence d'une poésie orale antérieure aux textes conservés, invitant du même coup des zélateurs moins habiles à la nier tout à fait. Face à son « individualisme », comme on disait, Ferdinand Lot défendait dès les années vingt la position du « traditionalisme » en soutenant que le culte de héros épiques liés à des sanctuaires sur les routes de pèlerinages est postérieur aux chansons de geste et en est la conséquence, loin de leur être antérieur et d'en être la cause :

« J'admets que toutes les chansons du cycle de Guillaume s'expliquent par la Voie Regordane, par Gellone... etc. — sauf une, la plus ancienne, la *Chanson de Guillaume*. J'admets que toutes les chansons qui placent l'action en Espagne connaissent — et admirablement — la voie qui mène à Compostelle, sauf une, la plus ancienne, la *Chanson de Roland*, qui ne sait rien du chemin de Saint-Jacques. » (*Romania* 53, 1927.)

Si les légendes d'église ne sont pas à l'origine des chansons de geste, « il ne reste plus d'autre chemin que de revenir à la vieille théorie de la transmission de siècle en siècle ». Ainsi, *Gormont et Isembart*, qui se rapporte à la victoire remportée sur les Normands par Louis III en 881, n'est pas le développement d'annales monastiques, mais plutôt l'adaptation d'une version normande passée sur le continent au IXᵉ ou au Xᵉ siècle. *Girart de Vienne* suppose la chanson d'un jongleur contemporain des événements de Vienne en 870-71. *Raoul de Cambrai* doit dériver effectivement, comme le texte le prétend lui-même, du poème d'un certain Bertolai, combattant à la bataille d'Origny en 943.

Mais la thèse traditionaliste devait surtout être soutenue avec une vigueur inlassable par Ramón Menéndez Pidal (*La* Chanson de Roland *et la tradition épique des Francs*, 1959, trad. fr. 1960). En réaction contre Bédier et ses disciples qui affirment la « précellence » du *Roland* d'Oxford et en tirent argument en faveur de la création originale d'un poète unique et génial, Pidal se croit obligé à tort de dénigrer cette admirable version au profit des autres, en particulier de V4 (première version de Venise). Mais, au-delà de ce détail polémique et des efforts un peu tatillons déployés pour établir la valeur historique des chansons de geste, sa pensée repose tout entière sur une idée essentielle dont on va voir bientôt la fécondité. Cette idée est que le texte médiéval ne naît pas, définitif, parfait et intangible, de l'imagination ou de la plume de son auteur, qu'il vit au contraire de ses variantes, qu'il se transforme et se met sans cesse grâce à elles au goût du jour, génération après génération, qu'il n'existe nulle part un texte authentique et correct que les fautes des copies successives auraient corrompu, mais que tous les états du texte correspondent à un moment de sa vie, sont donc égaux en dignité et en intérêt — sinon en valeur esthétique et en bonheurs d'inspiration ; tous, dans le cas des chansons de geste, reflètent une performance. Tout en se situant encore dans la perspective un peu usée de la discussion sur les origines — mais Pidal avait plus de quatre-vingt-dix ans quand il écrivait l'ouvrage cité plus haut ! —, cette approche permet de mettre au centre du débat la relation complexe entre l'oral et l'écrit signalée dès notre premier chapitre.

De la « performance » orale à sa trace écrite

Les chansons de geste, on l'a vu, supposent une diffusion orale par les jongleurs : les prologues, certaines interventions du récitant dans le cours du texte le font apparaître de façon certaine. D'autre part l'importance de la variante, telle que Pidal l'a mise en lumière, s'accorde avec ce type de diffusion. La réunion des deux observations permet de rendre compte à la fois de l'évolution des textes, de leurs divergences, de leur perpétuelle mise au goût du jour comme de leur stabilité fondamentale, de leur permanence profonde au fil des siècles au-delà de leurs variations superficielles, de leur durée. Toutefois, en affirmant que la chanson de geste « vit de ses variantes », Pidal veut seulement dire que les légers changements introduits par chaque interprète la maintiennent dans un état de réélaboration continuelle. D'autres comme le Suisse Jean Rychner (*La Chanson de geste. Essai sur l'art épique des jongleurs*, Genève, 1955) et surtout comme l'Américain Joseph Duggan (*The* Song of Roland. *Formulaic Style and Poetic Craft*, Berkeley, 1973), qui applique à la chanson de geste les théories sur la poésie orale de ses compatriotes Milman Parry et Albert Lord (*The Singer of Tales*, Harvard, 1960), vont plus loin. Ils conçoivent chaque performance comme une nouvelle création d'un poème qui n'existe pas vraiment en lui-même indépendamment d'elle. Pour eux en effet, la performance ne repose pas sur une mémorisation du poème — mémorisation dont les variantes ne feraient que refléter le caractère imparfait. Se fondant sur l'exemple moderne des chanteurs épiques serbo-croates, Lord montre que le chanteur, au moyen de phrases formulaires dans lesquelles sont consignées les actions typiques de l'intrigue épique, apprend à re-créer sur le vif, à chaque nouvelle interprétation du poème, les longues narrations en vers de la tradition orale. Ainsi le style formulaire, caractéristique des chansons de geste, révélerait le caractère oral de cette poésie. Duggan refuse même d'attribuer le *Roland* d'Oxford à un écrivain de génie qui aurait remanié une traditon orale antérieure, car il observe que les scènes cruciales et réputées « géniales » de cette version — celle de l'ambassade, celle du cor — sont encore plus marquées par le style formulaire que les autres. A ses yeux, s'il existe dans la France du XIIe siècle deux genres narratifs distincts, la chanson de geste et le roman, c'est tout simplement que l'un est oral et l'autre écrit. Et pour montrer que la chanson de geste écrite tend vers le roman, il fait observer que le style formulaire est moins présent dans la chanson de geste tardive d'Adenet le Roi *Beuves de Commarchis* (vers 1270) que dans le *Siège de Barbastre*, plus ancien d'un siècle et dont le poème d'Adenet est un remaniement.

Mais en réalité le style formulaire se trouve partout et n'est nullement propre à la littérature orale. Il ne constitue pas en lui-même une preuve d'oralité et la théorie de Lord comme l'application qu'en fait Duggan paraissent trop rigides. On a vu dans notre premier chapitre que l'opposition entre l'oral et l'écrit, qui est rarement absolue, ne l'est jamais au Moyen Age. Au demeurant, le poète est nécessairement conscient de cette opposition dès lors qu'il a accès aux deux modes d'expression et qu'il n'évolue pas dans un monde de l'oralité absolue. Le style qu'il adopte, les effets et les procédés dont il joue sont donc en partie conscients eux-mêmes, délibérés, « artificiels » et ne peuvent faire l'objet d'une interprétation univoque. Après tout, ces chansons de geste qui ont bénéficié d'une diffusion et d'une circulation orales ne nous sont connues, bien entendu, qu'écrites. Les marques théoriques de la création orale, comme le style formulaire, ont été conservées dans le texte écrit. Les marques de l'énonciation orale — appel au public, invitation à faire silence, annonce que l'interprète va s'interrompre pour faire la quête, ou pour se reposer, ou pour aller boire — ont été soigneusement recopiées dans le silence du *scriptorium*. L'artifice est patent.

On peut certes ne voir dans cet artifice qu'un simple décalage dû aux habitudes prises et au caractère conservateur des comportements. Même si la forme et les caractères stylistiques du poème ont été conçus en fonction de l'oral, ils ont pu survivre longtemps même sans nécessité fonctionnelle dans le poème écrit. On les voit d'ailleurs s'atténuer peu à peu, comme le remarque Duggan. Mais il est permis de supposer aussi que le sentiment de ce décalage a été inclus très tôt dans l'esthétique des chansons de geste. Dès lors qu'elles étaient écrites, les chansons de geste ont pu tirer leur séduction de leur raideur, de leur « archaïsme » familier, de la distance introduite par les effets stylistiques et formels liés à l'oralité, alors même que cette oralité devenait fictive. La présence particulièrement appuyée du style formulaire dans certains morceaux de bravoure serait alors moins la marque de l'oralité que celle du recours délibéré, dans les moments importants, à l'effet de style caractéristique du genre. C'est ainsi que l'on voit assez nettement, à une époque où l'assonance n'est plus qu'une survivance, certaines chansons de geste résister, non sans efforts mais avec obstination, à la tentation de la rime. C'est ainsi, de façon analogue, que les chansons de toile, dont on reparlera plus loin, cultivent l'archaïsme raide de la forme épique.

Evolution des chansons de geste

L'intérêt qu'éveillent à juste titre l'apparition et la préhistoire des chansons de geste ne doit pas dissimuler que le genre reste vivant pendant tout le Moyen Age et qu'il évolue, somme toute, assez peu. Les poèmes deviennent plus longs, les intrigues plus complexes. Surtout, elles font une place de plus en plus grande à l'amour et au merveilleux. *Huon de Bordeaux* est au XIIIe siècle un bon exemple de cette évolution. Les chansons de geste se rapprochent ainsi des romans. La fin du XIIIe et le début du XIVe siècle voient apparaître un certain nombre d'œuvres hybrides qui se coulent dans le moule épique de la laisse homophone — en alexandrins plus souvent qu'en décasyllabes —, mais qui par leur contenu tiennent de l'un et l'autre genre, et parfois surtout du genre romanesque (*Berthe au grand pied* d'Adenet le Roi, *Florence de Rome*, *La Belle Hélène de Constantinople*, *Brun de la Montagne*). On verra plus loin qu'à la fin du Moyen Age le succès de la prose achèvera de confondre les deux genres.

Mais avant cela, au moment même où la chanson de geste connaît son plus grand développement, à la fin du XIIe siècle, on la voit se mettre au service d'une matière nouvelle et contemporaine, celle des croisades. Sur le modèle des chansons de geste traditionnelles à sujets carolingiens apparaît un cycle de la croisade (*La Chanson d'Antioche, Les Captifs, La Prise de Jérusalem*), qui connaîtra jusqu'à la fin du Moyen Age des suites, des ajouts par agglutination, des remaniements nombreux autour de la légende du *Chevalier au Cygne* et de *Godefroy de Bouillon*.

La chanson de geste n'est donc pas seulement l'une des formes les plus anciennes de notre littérature. Le Moyen Age n'a jamais cessé d'en faire le mode d'expression privilégié de l'exploit militaire et des combats de la chrétienté.

CHAPITRE IV

Troubadours et trouvères

Un surgissement paradoxal

Depuis bien longtemps, dès avant la formation des langues romanes, des témoignages indirects signalaient que des chansons circulaient dans le peuple, en particulier des chansons d'amour chantées par des femmes et dont l'Eglise s'inquiétait. Mais elle-même ne s'inspirait-elle pas de ces rythmes populaires en accueillant une poésie liturgique dont la métrique, abandonnant l'alternance des syllabes longues et brèves qui fonde la versification du latin classique, reposait sur le nombre des pieds et sur la rime ? Pourtant, les premiers poèmes lyriques en langue romane — en l'occurrence en langue d'oc — qui nous ont été intégralement conservés n'ont rien de populaire, quel que soit le sens que l'on donne à ce mot. Ils sont complexes, raffinés, volontiers hermétiques. Ils sont éperdument aristocratiques et élitistes, affichant avec une arrogance provocante leur mépris des rustres incapables de les goûter et insensibles à l'élégance des manières et de l'esprit. Et le premier poète dont l'œuvre nous soit parvenue était l'un des princes les plus puissants d'alors, Guillaume IX, comte de Poitiers et duc d'Aquitaine (1071-1126). En quelques années, ses successeurs et ses émules en poésie, les troubadours, se multiplient dans toutes les cours méridionales, en attendant d'être imités en France du Nord, dans la seconde moitié du XIIe siècle, par les trouvères. Une poésie de cour : tel est à l'origine ce lyrisme que l'on dit pour cette raison *courtois* et qui célèbre une conception de l'amour aussi nouvelle et aussi provocante que son brusque surgissement.

Courtoisie et fin'amor

La courtoisie et l'amour courtois ne constituent nullement une doctrine autonome, conçue et énoncée de façon cohérente et définitive. Ils ont bien eu une sorte de théoricien en la personne d'André le Chapelain, auteur d'un *Tractatus de Amore* écrit vers 1184, peut-être à la cour de Champagne, peut-être à Paris. Mais son ouvrage, codification tardive d'une pratique vieille alors de près d'un siècle, est d'interprétation douteuse. Tout ce que l'on peut faire, en réalité, est de dégager empiriquement de l'œuvre des troubadours une sensibilité et une éthique amoureuse et mondaine communes, tout en sachant qu'elles ne connaissent pas d'expression en dehors de la poésie qui en est le véhicule. C'est pourquoi commencer par en faire l'exposé, comme on y est contraint ici pour des raisons de clarté, ne peut être qu'un artifice qui conduit fatalement à durcir le trait et à gommer des nuances.

La courtoisie est une conception à la fois de la vie et de l'amour. Elle exige la noblesse du cœur, sinon de la naissance, le désintéressement, la libéralité, la bonne éducation sous toutes ses formes. Etre courtois suppose de connaître les usages, de se conduire avec aisance et distinction dans le monde, d'être habile à l'exercice de la chasse et de la guerre, d'avoir l'esprit assez agile pour les raffinements de la conversation et de la poésie. Etre courtois suppose le goût du luxe en même temps que la familiarité détachée à son égard, l'horreur et le mépris de tout ce qui ressemble à la cupidité, à l'avarice, à l'esprit de lucre. Qui n'est pas courtois est *vilain*, mot qui désigne le paysan, mais qui prend très tôt une signification morale. Le vilain est âpre, avide, grossier. Il ne pense qu'à amasser et à retenir. Il est jaloux de ce qu'il possède ou croit posséder : de son avoir, de sa femme.

Mais nul ne peut être parfaitement courtois s'il n'aime, car l'amour multiplie les bonnes qualités de celui qui l'éprouve et lui donne même celles qu'il n'a pas. L'originalité de la courtoisie est de faire à la femme et à l'amour une place essentielle. C'est une originalité au regard des positions de l'Eglise comme au regard des mœurs du temps. L'amant courtois fait de celle qu'il aime sa *dame*, sa *domna* (*domina*), c'est-à-dire sa suzeraine au sens féodal. Il se plie à tous ses caprices et son seul but est de mériter des faveurs qu'elle est toujours en droit d'accorder ou de refuser librement.

L'amour courtois, ou *fin'amor*, « amour parfait », repose sur l'idée que l'amour se confond avec le désir. Le désir, par définition, est désir d'être assouvi, mais il sait aussi que l'assouvissement consacrera sa disparition comme désir. C'est pourquoi l'amour tend vers son assouvissement et en même temps le redoute, car il consacrera sa disparition en tant que désir. Et c'est ainsi qu'il y a perpétuellement dans l'amour un conflit insoluble entre le désir et le désir du désir, entre l'amour et l'amour de l'amour. Ainsi s'explique le sentiment complexe qui est propre à l'amour, mélange de souffrance et de plaisir, d'angoisse et d'exaltation. Pour désigner ce sentiment, les troubadours ont un mot, le *joi*, différent du mot joie (*joya*, fém.) par lequel on le traduit généralement faute de mieux. Jaufré Rudel écrit par exemple :

D'aquest amor suy cossiros	*Cet amour me tourmente*
Vellan e pueys somphnan [dormen,	*quand je veille et quand, [endormi, je songe :*
Quar lai ay joy meravelhos.	*c'est alors que mon* joi *est [extrême.*

Cette intuition fondamentale a pour conséquence que l'amour ne doit être assouvi ni rapidement ni facilement, qu'il doit auparavant mériter de l'être, et qu'il faut multiplier les obstacles qui exacerberont le désir avant de le satisfaire. D'où un certain nombre d'exigences qui découlent toutes du principe que la femme doit être, non pas inaccessible, car l'amour courtois n'est pas platonique, mais difficilement accessible. C'est ainsi qu'il ne peut théoriquement y avoir d'amour dans le mariage, où le désir, pouvant à tout moment s'assouvir, s'affadit et où le droit de l'homme au corps de la femme lui interdit de voir en elle au sens propre une *maîtresse* dont il faut mériter les faveurs librement consenties. On doit donc en principe aimer la femme d'un autre, et il n'est pas étonnant que la première qualité de l'amant soit la discrétion et que ses pires ennemis soient les jaloux médisants qui l'épient pour le dénoncer au mari, les *lauzengiers*. D'autre part la dame doit être d'un rang social supérieur à son soupirant de manière à calquer les rapports amoureux sur les rapports féodaux et à éviter que les deux partenaires soient tentés, elle d'accorder ses faveurs par intérêt, lui d'user de son autorité sur elle pour la contraindre à lui céder.

Mais il ne faut pas exagérer l'importance de ces règles, qui sont au demeurant moins présentes chez les poètes eux-mêmes que chez leurs glossateurs, ou qui ne le sont, *cum grano salis*, que dans un genre spécialisé dans la casuistique amoureuse comme le *jeu-parti*. Elles sont la conséquence la plus visible, mais non la conséquence essentielle, de la confusion de l'amour et du désir. L'essentiel est le tour très particulier que cette confusion donne à l'érotisme des troubadours. Il y a chez eux un mélange d'effroi respectueux et de sensualité audacieuse devant la femme aimée, qui donne à leur amour les traits d'un amour adolescent : une propension — revendiquée — au voyeurisme, un goût pour les rêves érotiques, qui épuisent le désir sans l'assouvir, une imagination fiévreuse et précise du corps féminin et des caresses auxquelles il invite en même temps qu'un refus d'imaginer la partie la plus intime de ce corps et une répugnance à envisager la consommation même de l'acte sexuel. Ce corps, que le poète « mourra de ne pouvoir toucher nu », ce corps « blanc comme la neige de Noël », « blanc comme la neige après le gel » (toutes ces formules sont de Bernard de Ventadour), ce corps est, comme la neige, brûlant et glacial, ou glaçant.

La poésie des troubadours

En attendant d'être célébrées, dans un esprit un peu différent, par les romans, courtoisie et *fin'amor* trouvent leur expression unique dans la poésie lyrique des troubadours de langue d'oc, et plus tard des trouvères de langue d'oïl, c'est-à-dire de ceux qui « trouvent » (*trobar* en langue d'oc), qui inventent des poèmes. C'est une poésie lyrique au sens exact du terme, c'est-à-dire une poésie chantée, monodique, dont chaque poète compose, comme le dit l'un d'eux, *los moz e'l so*, les paroles et la musique.

Le genre essentiel en est la chanson (*canso*, terme bientôt préféré à celui de *vers* employé par les premiers troubadours), expression de ce qu'on a appelé le « grand chant courtois ». La *canso* est un poème de quarante à soixante vers environ, répartis en strophes de six à dix vers, et terminé généralement par un envoi (*tornada*) qui répète par les rimes et la mélodie la fin de la dernière strophe. Le schéma métrique et l'agencement des rimes, souvent complexes, doivent en principe être originaux, comme la musique, qui sous une ligne mélodique assez simple joue avec beaucoup de recherche de l'expressivité des mélismes. Les rimes peuvent être identiques de strophe en strophe tout au long de la chanson (*coblas unisonans*), changer après chaque groupe de deux strophes (*coblas doblas*) ou à chaque strophe (*coblas singulars*). On pratique la rime *estramp*, isolée dans la strophe et dont le répondant se trouve à la même place dans la strophe suivante. On fait rimer des mots entiers, on fait revenir à la rime le même mot à la même place dans chaque strophe. Le dernier vers d'une strophe peut être répété au début de la suivante, procédé cher à la poésie gallégo-portugaise, mais auquel les troubadours préfèrent les fins de strophes identiques.

Mais plus que ces jeux prosodiques frappent le style et le ton de cette poésie. La langue est tendue, l'expression parfois compliquée à plaisir, plus souvent elliptique ou heurtée avec, jusque dans les sonorités parfois, une recherche de la rugosité plus que de la fluidité. Autour des années 1170, certains troubadours ont cultivé l'hermétisme en pratiquant le *trobar clus*, c'est-à-dire la création poétique « fermée », obscure, tel Raimbaud d'Orange qui décrit ainsi son activité poétique :

Cars, bruns et teinz mots [entrebesc,	*Les mots précieux, sombres et [colorés, je les entrelace,*
Pensius pensanz.	*pensivement pensif.*

D'autres préfèrent un style plus accessible, « léger » (*trobar leu*). Dans un débat qui l'oppose à Raimbaud d'Orange, Guiraut de Bornelh se réjouit ainsi que ses chansons puissent être comprises même par les simples gens à la fontaine. Enfin le *trobar ric* (« riche »), dont le meilleur représentant est Arnaud Daniel, qui relève aussi, cependant, du *trobar clus*, semble jouer avec prédilection de la somptuosité de la langue et des mots, de la virtuosité de la versification.

Cette poésie si attentive aux raffinements de l'expression ne cherche nullement l'originalité du contenu. Elle ne craint pas d'être répétitive et de redire sans se lasser, chanson après chanson, que le printemps invite à chanter l'amour, mais que ce chant est douloureux dans la bouche de celui qui aime sans être payé de retour. La création poétique, pour les troubadours, vise à se conformer le plus possible à un modèle idéal, tout en y introduisant des décalages et des innovations menus, des subtilités rhétoriques et métriques, et en jouant de l'infinité des variantes combinatoires entre les motifs convenus. Mais cette poétique « formelle » ne traduit pas, comme on le dit parfois, un repli du langage sur lui-même et une indifférence au référent. Au contraire sa monotonie comme son expression tendue semblent la conséquence d'une exigence de sincérité incluse dans les règles mêmes de la poésie. Celle-ci suppose une équivalence entre les propositions « j'aime » et « je chante », et elle en déduit que le poème doit, d'une certaine façon, ressembler à l'amour, que les caractères, que la perfection du poème reflètent les caractères et la perfection de l'amour. Celui qui aime le mieux est le meilleur poète, comme le dit Bernard de Ventadour :

Non es meravilha s'eu chan	*Il n'est pas étonnant que je [chante*
Melhs de nul autre chantador,	*mieux que nul autre chanteur*
Que plus me tra'l cors va amor	*car mon cœur m'entraîne plus [vers l'amour*
E melhs sui failhz a so coman.	*et je suis plus soumis à ses [commandements.*

Les tensions du style reflètent celles de l'amour — le *joi* —, et Arnaud Daniel se définit comme amant et comme poète en trois *adunata* célèbres :

Eu son Arnauz qu'amas l'aura	*Je suis Arnaud qui amasse le [vent,*
Et chatz la lebre ab lo bou	*chasse le lièvre avec le bœuf*
E nadi contra suberna.	*et nage contre la marée.*

De façon générale, de même que l'amour doit tendre vers une perfection idéale sans être affecté par les circonstances et les contingences, de même la chanson qui l'exprime et le reflète doit tendre vers une perfection abstraite qui ne laisse aucune place à l'anecdote. C'est ainsi que l'usage de commencer toute chanson par une évocation de la nature printanière — usage remontant sans doute aux racines mêmes du lyrisme roman et qui était l'occasion de brèves descriptions charmantes à nos yeux —, cet usage passe de mode et est raillé au XIIIe siècle, parce que, comme l'expliquent abondamment les trouvères, le véritable amoureux aime en toute saison, et non pas seulement au printemps.

Les origines

Comme celle des chansons de geste, bien que pour des raisons différentes, la naissance du lyrisme courtois a retenu, parfois de façon excessive, l'attention des érudits. Les caractères de la courtoisie et de la *fin'amor*, la sophistication de cette poésie, interdisent, on l'a dit, d'y voir l'émergence pure et simple d'une poésie *populaire* antérieure. Le point de vue fondamentalement masculin sur l'amour qui est celui de la courtoisie, la soumission de l'amant à sa *dame* l'excluent presque à eux seuls. Dans la plupart des civilisations, et en tout cas tout autour du bassin méditerranéen, le lyrisme amoureux le plus ancien est en effet attribué aux femmes et jette sur l'amour un regard féminin. On verra plus loin que ce que l'on peut savoir du premier lyrisme roman est conforme à cette situation générale.

Certains ont à l'inverse nié toute solution de continuité entre la poésie latine et le lyrisme courtois. Celui-ci ne serait que la transposition en langue vulgaire de la poésie latine de cour qui est pratiquée dès le VIe siècle par l'évêque de Poitiers Venance Fortunat, lorsqu'il célèbre les nobles épouses des princes, qui est au XIe siècle celle de Strabon, d'Hildebert de Lavardin, de Baudri de Bourgueil, qui, vers la même époque, est cultivée par les clercs des écoles de Chartres, à la louange parfois des dames de la ville. Ce qui, chez les troubadours, échappe à cette exaltation platonique des dames, et en particulier les chansons grivoises du premier troubadour, Guillaume IX, serait à mettre au compte de l'inspiration ovidienne des clercs vagants ou goliards. Il est bien vrai qu'une certaine influence de la rhétorique médio-latine et que des réminiscences ovidiennes sont sensibles chez les troubadours. Mais il suffit de les lire pour mesurer combien leur ton diffère de celui de la poésie latine, où l'on ne trouve guère cette gravité passionnée qui fait de l'amour le tout de la vie morale et de la vie tout court. En outre, les centres de Chartres et d'Angers sont bien septentrionaux pour avoir joué un rôle déterminant dans la naissance d'une poésie en langue d'oc. En dehors de celle des goliards, la poésie latine était lue, et non chantée. Enfin, à de rares exceptions près, les troubadours étaient loin de posséder une culture latine suffisante pour mener à bien une telle entreprise d'adaptation.

On a souvent soutenu, depuis longtemps et non sans arguments, que la poésie courtoise et la *fin'amor* avaient une origine hispano-arabe. Dès le début du XIe siècle, les poètes arabes d'Espagne comme Ibn Hazm, qui écrit vers 1020 son *Collier de la Colombe*, — et un siècle avant eux déjà Ibn Dawud avec son *Livre de la Fleur* — célèbrent un amour idéalisé, dit amour *odhrite*, qui n'est pas sans analogie avec ce que sera la *fin'amor*. Belles capricieuses et tyranniques, amants dont les souffrances revêtent la forme d'un véritable mal physique pouvant conduire à la mort, confidents, messagers, menaces du gardien ou du jaloux, discrétion et secret, une atmosphère printanière : tout l'univers amoureux et poétique des troubadours est là, bien que les différences entre les deux civilisations fassent sentir leurs effets de façon non négligeable. Mais l'argument le plus fort peut-être repose sur la similitude des formes strophiques dans les deux poésies. Une influence de l'une sur l'autre n'est pas historiquement impossible. En Espagne, les deux civilisations étaient au contact l'une de l'autre. La guerre même de *reconquista* favorisait les rencontres, et l'on sait très précisément que dans les deux camps on avait du goût pour les captives chanteuses.

Mais alors pourquoi la poésie des troubadours a-t-elle fleuri au nord et non au sud des Pyrénées ? Quant à la strophe du *muwwashah* et du *zadjal* andalous, utilisée plus tard par les troubadours, elle est ignorée des Arabes jusqu'à leur arrivée en Espagne. De là à conclure qu'elle a été empruntée par eux aux chrétiens mozarabes et que c'est elle qui imite une forme ancienne du lyrisme roman, reprise ensuite indépendamment par les troubadours, il y a un pas qui a été franchi d'autant plus facilement par certains savants qu'ils disposaient de deux arguments en faveur de cette hypothèse. D'une part, la pointe finale (*khardja*) qui termine le *muwwashah* est parfois en langue romane — et c'est ainsi, nous y reviendrons, par le détour de la poésie arabe que nous sont connus les plus anciens fragments du lyrisme roman. Si les Arabes empruntent des citations à la poésie indigène, ils peuvent aussi lui avoir emprunté des formes strophiques. D'autre part, dès avant les troubadours, ce type strophique se trouve dans la poésie liturgique latine, qui n'avait guère de raison de s'inspirer de la poésie érotique arabe, par exemple dans les *tropes* de Saint-Martial de Limoges.

En réalité, aucune de ces hypothèses n'est démontrable. Aucune d'ailleurs n'est exclusive des autres : le jeu des influences a certainement été complexe. Il convient aussi, bien entendu, de tenir compte d'autres facteurs, par exemple des conditions socio-historiques : cadre particulier de la vie castrale dans lequel les jeunes nobles faisaient leur apprentissage militaire et mondain ; aspirations et revendications de cette catégorie des « jeunes », exclus longtemps et parfois définitivement des responsabilités et du mariage (Georges Duby) — et l'on peut remarquer l'emploi insistant et particulier du mot « jeunesse » dans la poésie des troubadours ; conséquences dans le domaine culturel des attitudes de rivalité et de mimétisme de la petite et de la grande noblesse (Erich Köhler, dont les analyses s'appliquent mieux au roman courtois qu'à la poésie lyrique). Tous ces éléments doivent être pris en considération, à condition de ne pas y chercher de déterminismes simplificateurs.

Des troubadours aux trouvères

Qui étaient les troubadours ? Certains étaient de grands seigneurs, comme Guillaume IX, Dauphin d'Auvergne, Raimbaud d'Orange ou même Jaufré Rudel, « prince de Blaye ». D'autres étaient des hobereaux, comme Bertrand de Born, Guillaume de Saint-Didier, Raymond de Miraval, les quatre châtelains d'Ussel. D'autres de pauvres hères, comme Cercamon, le plus ancien après Guillaume IX, dont le sobriquet signifie « celui qui court le monde », ou son disciple Marcabru, un enfant trouvé surnommé d'abord « Pain perdu », ou encore les enfants de la domesticité d'un château comme Bernard de Ventadour. D'autres, des clercs, certains défroqués, comme Peire Cardenal, qui parvenu à l'âge d'homme quitta pour se faire troubadour la « chanoinie » où on l'avait fait entrer petit enfant, mais d'autres pas, comme le Moine de Montaudon, qui faisait vivre son couvent des cadeaux qu'il recevait pour prix de ses chansons. D'autres étaient des marchands, comme Folquet de Marseille, qui, par repentir d'avoir chanté l'amour, se fit moine, devint abbé du Thoronet, puis évêque de Toulouse. D'autres, comme Gaucelm Faiditz, étaient d'anciens jongleurs, tandis qu'inversement des nobles déclassés se faisaient jongleurs, comme, paraît-il, Arnaud Daniel. De château en château, à telle cour, auprès de telle dame ou de tel mécène, tout ce monde se rencontrait, échangeait des chansons, se citait et se répondait de l'une à l'autre, disputait des questions d'amour ou de poétique dans les poèmes dialogués que sont les *jeux partis* ou s'invectivait dans les *sirventès* polémiques.

Comment connaissons-nous la personnalité et la vie des troubadours ? En partie par les manuscrits qui nous ont conservé leurs chansons — les *chansonniers*. Ce sont des anthologies dans lesquelles les œuvres de chaque troubadour sont souvent précédées d'un récit de sa vie (*vida*), tandis que certaines chansons sont accompagnées d'un commentaire (*razo*) qui prétend en éclairer les allusions en relatant les circonstances de leur composition. Certaines *vidas* sont à peu près véridiques. D'autres sont presque inventées de toutes pièces à partir des chansons elles-mêmes. Ce ne sont pas les moins intéressantes. Elles nous montrent dans quel esprit on lisait les troubadours à l'époque où elles ont été rédigées et où les manuscrits qui les contiennent ont été copiés, c'est-à-dire dans le courant ou vers la fin du XIIIe siècle. Cet esprit, celui de l'anecdote autobiographique, paraît bien éloigné de l'idéalisation généralisatrice à laquelle aspire la poésie des troubadours.

C'est que les temps avaient changé. La courtoisie elle-même avait changé en passant en France du Nord et, au début du XIIIe siècle, lors de la croisade albigeoise, la France du Nord devait imposer rudement le changement aux cours méridionales.

Le lyrisme courtois s'acclimate en France du Nord vers le milieu du XIIe siècle. Le symbole, sinon la cause, de cette expansion est le mariage en 1137 d'Aliénor d'Aquitaine, la petite fille du premier troubadour, avec le roi de France Louis VII le Jeune, puis, après sa répudiation en 1152, avec le roi d'Angleterre Henri II Plantagenêt. L'une des deux filles nées de son premier mariage, Marie, devenue comtesse de Champagne, sera peut-être la protectrice d'André le Chapelain et surtout celle de Chrétien de Troyes. L'esprit courtois atteint ainsi toutes les grandes cours francophones.

Emules des troubadours, les trouvères se distinguent cependant par plusieurs traits de leurs modèles. Dans le cadre du grand chant courtois, ils se montrent généralement plus réservés, plus pudibonds même. Usant avec une habileté très délibérée de toutes les ressources de la versification et de la rhétorique (Roger Dragonetti, *La Technique poétique des trouvères dans la chanson cour-*

toise, Bruges, 1960), ils gomment plus leurs effets que les troubadours et ne recourent guère au style âpre, flamboyant, paradoxal et tendu cher aux méridionaux. Le *trobar clus*, qui même dans le Sud n'a été en fait qu'une mode passagère, leur est inconnu. En revanche, leurs mélodies nous sont plus souvent parvenues que celles des troubadours, et les derniers d'entre eux, comme Adam de la Halle dans les années 1280, feront faire des progrès décisifs à la polyphonie, entraînant d'ailleurs du même coup l'éclatement inéluctable de la synthèse du texte et de la musique sur laquelle reposait le lyrisme courtois.

Il faut ajouter que les conditions mêmes de la vie littéraire sont différentes. Certes, on trouve parmi les trouvères le même éventail social que chez les troubadours. Il y a parmi eux des princes, comme le comte Thibaud IV de Champagne, roi de Navarre, poète fécond et subtil, ou Richard Cœur-de-Lion, qui n'a laissé à vrai dire qu'une chanson, et d'assez grands seigneurs, ou au moins des personnages de premier plan, comme Conon de Béthune ou Gace Brulé. Mais la proportion des nobles dilettantes, auteurs chacun de quelques chansons parce que cela fait partie du jeu social, est plus faible que dans le Sud ; un signe en est que, pour une production globale à peu près égale, nous ne connaissons les noms que de deux cents trouvères environ contre quatre cent cinquante troubadours. Surtout, quelle que soit l'importance des grandes cours lettrées comme celle de Champagne, la plupart des trouvères, à partir de la fin du XIIe siècle, appartiennent au milieu littéraire des riches villes commerçantes du Nord de la France, en particulier d'Arras.

Dans plusieurs de ces villes apparaissent au XIIIe siècle des sociétés littéraires qui organisent des concours de poésie. La plus illustre est le *Puy* d'Arras, lié à une confrérie nommée de façon significative *Confrérie des jongleurs et bourgeois d'Arras* et dominé par les grandes familles commerçantes de la ville. Ces poètes urbains, qui peuvent être aussi bien des bourgeois que des clercs, des jongleurs ou des nobles, continuent bien entendu à pratiquer le grand chant courtois. Mais, sans retomber dans l'erreur ancienne qui serait de vouloir définir une littérature « bourgeoise » au XIIIe siècle, il faut bien reconnaître qu'ils ont un goût marqué, et presque inconnu des troubadours, pour des genres lyriques qui constituent une sorte de contrepoint parfois comique et grivois de la courtoisie ou qui paraissent hériter d'une tradition antérieure à elle.

C'est pourquoi nous avons attendu d'en venir aux trouvères pour aborder les genres lyriques non courtois, bien que certains paraissent descendre des formes primitives de la poésie romane.

Les chansons de femme et le lyrisme non courtois

Les genres non courtois sont en effet de deux sortes. Les uns posent directement l'énigme d'une poésie populaire, dont ils conservent ou dont ils créent artificiellement l'écho : ce sont les aubes et les chansons de toile. Les autres, qui peuvent à l'occasion, ou même fondamentalement, charrier des éléments d'origine populaire, forment, on l'a dit, l'envers de la courtoisie et, dans l'état où nous les saisissons, n'existent que par rapport à elle : ce sont les reverdies, les chansons de malmariée, les pastourelles. En outre les chansons à danser, définies par leur forme — parfois ancienne —, empruntent thématiquement à tous les autres genres et leur fournissent des refrains et parfois des mélodies.

On a dit plus haut que la forme primitive du lyrisme amoureux était généralement celle de la chanson de femme. Bien que cette situation soit masquée dans la littérature romane par le brusque surgissement du lyrisme courtois, un faisceau d'indices témoigne de son existence : la condamnation par l'Eglise, à date très ancienne, de chansons féminines lascives ; les quelques épisodes amoureux des premières chansons de geste, comme la mort de la belle Aude dans la *Chanson de Roland*, qui paraissent réserver aux femmes l'expression élégiaque de l'amour ; plus encore, le fait que toutes les *khardjas* empruntées à la poésie mozarabe soient des extraits de chansons de femme, où l'amour s'exprime généralement avec une gravité passionnée et sensuelle. Cette tonalité se retrouve par instants dans la poésie des quelques femmes troubadours, les *trobairitz*, qui habituellement se bornent à mettre au féminin les stéréotypes du grand chant courtois.

Mais surtout il existe en langue d'oïl un genre très particulier, celui de la chanson de toile, qui paraît se rattacher à cette tradition, bien que les quelque vingt chansons qui nous sont parvenues soient largement postérieures au développement de la poésie courtoise et en portent la marque. La forme des chansons de toile les rend analogues à de petites chansons de geste. Presque toutes sont en décasyllabes. Leurs strophes, parfois rimées, mais souvent assonancées, ne se distinguent alors des laisses épiques que par leur brièveté relative, leur régularité et la présence d'un refrain. Ce sont des chansons narratives à la troisième personne. Leur style, comme celui des chansons de geste, est raide, leur syntaxe répugne à la subordination et chaque phrase dépasse rarement la longueur du vers. Elles mettent en scène des jeunes filles sensuellement et douloureusement éprises de séducteurs indolents ou d'amants lointains, qu'elles attendent, assises à la fenêtre, occupées à des travaux d'aiguille : d'où leur nom. Certaines sont insérées dans un roman du début du XIIIe siècle, le *Roman de la Rose ou de Guillaume de Dole* de Jean Renart. Cet auteur subtil et malicieux, qui se vante d'être le premier à avoir eu l'idée de citer des pièces lyriques dans un roman, fait dire à une vieille châtelaine que « c'était autrefois que les dames et les reines faisaient de la tapisserie en chantant des chansons d'histoire ».

Sur la foi de ce témoignage, et sur l'apparence des chansons de toile, on a longtemps admis sans discussion qu'elles étaient très anciennes. Mais certains traits s'accordent mal avec cet archaïsme apparent, dans lequel il faudrait plutôt voir soit une survivance au sein de pièces qui se seraient sur d'autres points modifiées, soit l'effet d'une recherche délibérée. Ce qui est certain, c'est que ces chansons ont été composées par des hommes : l'une d'elles le reconnaît, d'autres sont l'œuvre d'un trouvère connu, Audefroi le Bâtard. Il semble qu'elles aient bénéficié d'une sorte de mode, dans le premier tiers du XIIIe siècle, au sein de milieux littéraires raffinés de Picardie, de Wallonie, de Lorraine, qui, habitués à la sophistication du grand chant courtois, trouvaient du charme à leur simplicité. Il y aurait donc eu une part d'artifice dans leur succès, voire dans leur écriture, mais on imagine mal qu'elles aient pu être inventées de toutes pièces dans ces circonstances et qu'elles puissent ne pas reposer sur une tradition ancienne.

D'autres types lyriques se sont pliés plus aisément aux conventions de la courtoisie. Ainsi, la chanson d'aube, connue par presque toutes les poésies du monde de la Chine à l'Egypte ancienne et à la Grèce. Dans l'Occident médiéval, ce n'est pas toujours une chanson de femme, mais elle l'est souvent, en particulier dans ses plus anciens spécimens. Son sujet est la douloureuse séparation des amants au matin, après une nuit d'amour. Il pouvait aisément s'intégrer à l'univers courtois, puisqu'il suppose des amours clandestines. De fait, c'est le seul des genres lyriques non courtois en eux-mêmes à avoir connu un succès aussi grand, et peut-être plus grand, auprès des troubadours qu'auprès des trouvères.

Bien que l'adaptation aux thèmes à la mode soit encore plus nette dans les genres que l'on va décrire maintenant, ces genres ont parfois été considérés comme révélateurs de sources folkloriques du lyrisme roman.

La *reverdie*, comme son nom le suggère, est l'extension à toute une chanson de la strophe printanière initiale des troubadours et des trouvères. Il n'est donc pas surprenant qu'elle revête dans les quelques exemplaires que nous en connaissons la forme d'un sous-genre courtois. Mais on a pu soutenir que la *reverdie*, qui survivrait à l'état de résidu dans la strophe printanière, pourrait être l'écho des célébrations du renouveau printanier qui, remontant au paganisme, ont survécu sous des formes atténuées presque jusqu'à nos jours. Au cours de ces fêtes, marquées par une certaine licence, les femmes pouvaient avoir, semble-t-il, l'initiative amoureuse. Un charmant poème connu sous le nom de *Ballade de la reine d'avril* pourrait en être un témoignage explicite. Mais il n'est peut-être pas aussi ancien qu'il le paraît et il est curieusement composé dans une langue artificielle (langue d'oïl maquillée en langue d'oc), dont il n'offre d'ailleurs pas le seul exemple.

Mais le genre de prédilection des trouvères, en dehors de la chanson courtoise et du *jeu parti*, est la chanson de rencontre amoureuse, narrative et dialoguée. Le poète y raconte comment, et avec quel succès, il a tenté de séduire une jeune personne, le plus souvent une dame mal satisfaite de son mari (chanson de *malmariée*) ou une bergère (*pastourelle*). L'élégance apparente de la requête amoureuse offre un contraste piquant aussi bien avec la brutalité du désir qu'avec la rusticité de la bergère ; le mari est un *vilain* dont l'incapacité à remplir le devoir conjugal justifie l'infortune : tout est ainsi prétexte à un détournement burlesque et souvent obscène des règles de la courtoisie. A cela s'ajoute, dans les *pastourelles*, l'attrait qu'exerce la bergère, chargée de tout l'érotisme diffus de la nature printanière au cœur de laquelle elle vit et dont elle est comme l'émanation. Les fantasmes de ces chansons s'organisent ainsi autour des motifs agrestes et printaniers dans une sorte d'esprit de revanche sexuelle : revanche de la malmariée sur son mari, de la jeune fille sur sa mère qui l'empêche d'aimer, du chevalier trousseur de bergères sur la dame courtoise qui le fait languir.

La force de ces fantasmes apparaît de façon particulièrement saisissante dans les brefs *rondeaux* à danser, dérivant, semble-t-il, d'une forme strophique très ancienne, qui évoquent pêle-mêle tous les thèmes lyriques sous une forme allusive, fragmentaire, disloquée entre les trois vers du couplet et les deux vers du refrain, sachant bien quel lien secret unit leur apparente disparate : le pré et ses fleurs nouvelles, la jeune fille à la fontaine, la bergère et son troupeau, la malmariée et son jaloux, le mal d'amour et les gestes de la danse. Chacun d'eux condense en cinq vers le parfum ténu et troublant de cette poésie.

CHAPITRE V

Le roman

Un genre « secondaire »

Secondaire, le roman ne l'est ni par son importance propre ni par celle de son destin ultérieur. Mais l'épithète peut lui être appliquée dans un double sens. Chronologique d'abord : le roman apparaît vers le milieu du XIIe siècle, soit un peu plus tard que la chanson de geste et que la poésie lyrique, et toutes les étapes de son développement se déroulent sous nos yeux, alors que les deux autres genres nous apparaissent déjà constitués. Au sens des classifications de la caractérologie ensuite : le roman se définit dès le début comme un genre réflexif, préoccupé par ses propres démarches, et donc comme un genre intellectualisé.

La chanson de geste et la poésie des troubadours et des trouvères ont en commun d'être destinées à être chantées. Le roman est le premier genre littéraire destiné à la lecture. A la lecture à voix haute, certes : l'usage de la lecture individuelle ne se répandra véritablement que plus tard. Mais ce trait suffirait à en faire une forme toute nouvelle, en particulier au regard de la chanson de geste, seul genre narratif à l'avoir précédé. Avec la fascination répétitive de la mélopée épique, il renonce à la construction strophique, qui impose à l'auditeur à la fois son découpage et son rythme, et aux effets, répétitifs eux aussi, d'écho, voire de refrain, nés du style formulaire et du procédé des laisses parallèles. Il leur substitue la linéarité indéfinie, sans rupture et sans heurt, des couplets d'octosyllabes. Leur effacement aussi, ou leur transparence : à cette époque où la prose littéraire française n'existe pas encore, l'octosyllabe à rime plate est, et sera longtemps, la forme la moins marquée, une sorte de degré zéro de l'écriture littéraire. Il ne cherche donc pas à jouer des effets affectifs, physiques même, du langage et du chant. Il laisse l'attention se concentrer sur un récit dont il ne prend pas l'initiative de rompre la continuité, laissant au lecteur celle de le maîtriser, de le structurer, d'y réfléchir, de le comprendre. Un style et une rhétorique qui privilégient la narration. Un appel, parfois explicite, à la réflexion du lecteur. Ces deux traits sont des constantes du roman médiéval.

Les premiers romans français : de la matière antique à la matière bretonne

Les premiers romans français se distinguent également des chansons de geste par leurs sujets. Ce sont des adaptations d'œuvres de l'Antiquité latine. Ainsi, le *Roman d'Alexandre*, dont trois versions se succèdent de 1130 à 1190 est le récit, largement fictif, de la vie et des conquêtes du roi de Macédoine d'après le pseudo-Callisthène. Le *Roman de Thèbes* (un peu après 1155) relate le destin des enfants d'Œdipe d'après la *Thébaïde* de Stace. Le *Roman d'Eneas* (vers 1160) est une adaptation de l'*Enéide* de Virgile. Le *Roman de Troie* de Benoît de Sainte-Maure (avant 1172) raconte la guerre de Troie d'après des compilations latines (Darès le Phrygien). Enfin le *Roman de Brut* de Wace (1155), que nous retrouverons bientôt, se rattache à ces romans dits antiques par son titre, par son prologue, par son sujet initial, la migration de Brutus, arrière-petit-fils d'Enée, du Latium vers la Grande Bretagne.

Les auteurs de ces romans sont, bien entendu, des clercs, capables de lire le latin et de le traduire. Ils prétendent, même quand c'est loin d'être le cas, suivre leur modèle avec le plus grand respect et la plus grande fidélité. Ils se font gloire de leur compétence d'historiens et de philologues, qui leur permet d'informer de façon véridique leurs contemporains ignorants du latin touchant les grands événements du passé, en choisissant la source la plus sûre et en la traduisant avec exactitude. C'est l'idée que développe le long prologue du *Roman de Troie*. Le genre romanesque, qui deviendra le plus libre qui soit, est donc emprisonné à ses débuts dans l'espace étroit de la traduction, tandis que sa seule ambition affichée est celle de la vérité historique. Mieux, ce genre reçoit le nom de *roman* — mot qui désigne dans son emploi usuel la langue vulgaire romane par opposition au latin — parce qu'il se définit comme une *mise en roman*, c'est-à-dire comme une traduction du latin en langue romane.

Les auteurs ne se privent pas, pourtant, d'innover au regard de leurs modèles, et non pas seulement en les adaptant de façon anachronique à la civilisation de leur propre temps. Ils réduisent la part de la mythologie, ils font davantage appel à un merveilleux relevant de la magie ou de la nécromancie, ils multiplient les ajouts. Mais surtout ils font une place toute particulière et toute nouvelle à l'amour. Ils amplifient les épisodes amoureux qu'ils trouvent dans leurs sources, ils en inventent de nouveaux. Ils peignent avec une abondance et une complaisance extrêmes la naissance de l'amour, le trouble d'un cœur virginal qui hésite à le reconnaître, la timidité des amants, les ruses, les dérobades, les audaces, les trahisons, les confidences, les aveux. Cet intérêt porté par le genre romanesque aux questions amoureuses le rendra très vite particulièrement accueillant à la courtoisie et à l'amour courtois. Bien que ni l'un ni l'autre ne soient encore clairement reconnaissables en tant que tels dans les romans antiques, l'amour est dès ce moment la grande affaire du roman.

Mais cette grande affaire est encore masquée par le souci affiché d'écrire l'histoire. Pas n'importe quelle histoire. Les romans antiques s'enchaînent pour poursuivre le récit des fondations successives dues à la même lignée, depuis la guerre de Troie — et même au-delà, puisque la matière thébaine, par l'intermédiaire de Jason et des Argonautes, constitue une sorte de préhistoire troyenne —, Enée fuyant Troie pour gagner le Latium et plus tard Brut quittant le

Latium pour gagner l'Angleterre. Quand on sait que Wace, l'auteur du *Brut*, et Benoît de Sainte-Maure, l'auteur du *Roman de Troie*, écriront tout deux, l'un avec le *Roman de Rou*, l'autre avec la *Chronique des ducs de Normandie*, l'histoire des ancêtres du roi d'Angleterre Henri II Plantagenêt depuis l'installation de Rollon en Normandie, on comprend l'intention politique qui met ce vaste ensemble littéraire au service d'une vaste fresque dynastique : il s'agit d'établir un lien entre la monarchie anglo-normande et les événements, les héros les plus prestigieux de l'Antiquité. La monarchie française tire gloire de Charlemagne ? Les Francs sont supposés, depuis le pseudo-Frédégaire, descendre du Troyen Francus ? Les Plantagenêts tireront gloire d'Enée, héros pourtant ambigu aux yeux du Moyen Age.

Mais voilà que dans cette entreprise un élément en apparence circonstanciel va bouleverser le destin du roman. Tant que l'action des romans se situait dans l'Antiquité et que leurs sources étaient des sources antiques, la prétention à la vérité historique pouvait être maintenue. Il n'en va plus de même dès lors que l'action s'est transportée dans les îles bretonnes et que les romanciers prennent pour source l'œuvre d'historiens qui leur sont contemporains. Il n'en va plus de même lorsque à Brut succède le roi Arthur.

Le *Brut* de Wace est pour l'essentiel une adaptation de l'*Historia regum Britanniae* publiée en 1136 par le clerc — puis évêque — gallois Geoffroy de Monmouth. Animé d'un ardent nationalisme « breton », c'est-à-dire celtique, Geoffroy fait une très large place au roi Arthur, dont la tradition voulait qu'il eût combattu les envahisseurs saxons au début du VIe siècle, à son père Uter, à leur protecteur l'enchanteur Merlin, à tous les prodiges du grand règne qu'il lui attribue. Wace renchérit : il est le premier à parler de la Table ronde. Mais les autres historiens de la cour d'Henri II Plantagenêt avaient récusé le témoignage de Geoffroy touchant le roi Arthur et les merveilles de Bretagne. Ils n'y voyaient que des « fables ». Tout le monde était séduit, mais personne n'y croyait. Plus, personne ne prétendait y croire. Wace lui-même se montre ouvertement sceptique sur un sujet qui lui fournit pourtant la moitié de son roman. Le monde arthurien, qui va devenir dès la seconde moitié du XIIe siècle le cadre privilégié du roman médiéval, ne prétend pas à la vérité. En quittant l'Antiquité et le monde méditerranéen pour la Bretagne et le temps du roi Arthur, le roman renonce à la vérité historique, référentielle, et doit se chercher une autre vérité. Une vérité qui est celle du sens ; un sens qui se nourrit pour l'essentiel d'une réflexion sur la chevalerie et l'amour. Ce sera l'œuvre, dès les années 1170, de Chrétien de Troyes, dont le génie impose pour longtemps le modèle du roman courtois arthurien et de sa quête du sens.

Chrétien de Troyes

De Chrétien, comme de beaucoup d'auteurs du Moyen Age, au moins jusqu'au XIIIe siècle, nous ne savons rien d'autre que ce que nous pouvons déduire de son œuvre et des allusions qu'y ont faites ses successeurs. On ne saura jamais si le Christianus, chanoine de l'abbaye de Saint-Loup à Troyes, que mentionne une charte de 1173, se confond avec notre romancier. Il se nomme lui-même Chrétien de Troyes dans son premier roman, *Erec et Enide*, Chrétien partout ailleurs. Ses successeurs le désignent des deux façons. Il était clerc, comme le suggèrent de nombreux indices et comme le confirme le fait que Wolfram von Eschenbach, dans le *Parzifal* inspiré de son *Conte du Graal*, l'appelle « Maître » : *Von Troys Meister Cristjân.*

Le seul fait certain à son sujet est qu'il a été en relation avec la cour de Champagne, puis avec celle de Flandres. *Le Chevalier de la Charrette* répond à une commande de la comtesse Marie de Champagne, à qui l'œuvre est dédiée. *Le Conte du Graal* est dédié à Philippe d'Alsace, comte de Flandres. Marie de Champagne était la fille du roi de France Louis VII le Jeune et d'Aliénor d'Aquitaine. Nous avons déjà vu en elle la possible protectrice d'André le Chapelain. Elle a joué un rôle essentiel dans la diffusion en France du Nord de l'esprit courtois et de sa casuistique amoureuse. L'exaltation de l'amour adultère de Lancelot et de la reine Guenièvre dans *Le Chevalier de la Charrette* reflète plus, semble-t-il, sa conception de l'amour que celle du romancier. Lui-même le suggère, et il laissera à un autre le soin de terminer l'œuvre à sa place, quoique d'après ses indications. Quant à Philippe d'Alsace, Chrétien a pu faire sa connaissance et passer à son service en 1182 lorsque, régent officieux du royaume pendant la minorité de Philippe-Auguste, il est venu à Troyes demander, en vain, la main de la comtesse Marie devenue veuve.

Au début de *Cligès*, Chrétien énumère ses œuvres antérieures. Y figurent *Erec et Enide*, plusieurs traductions d'Ovide aujourd'hui perdues et un poème sur « le roi Marc et Iseut la Blonde », perdu lui aussi. Telle qu'elle nous est parvenue, son œuvre, outre deux chansons d'amour, comprend cinq romans : *Erec et Enide* (vers 1170), *Cligès* (vers 1176), *Le Chevalier au Lion (Yvain)* et *Le Chevalier de la Charrette (Lancelot)*, probablement écrits de façon imbriquée ou alternée entre 1177 et 1181, enfin *Le Conte du Graal (Perceval)*, commencé entre 1182 et 1190 et resté inachevé, sans doute à cause de la mort du poète. Le roman de *Guillaume d'Angleterre*, dont l'auteur se désigne lui-même sous le nom de Chrétien, ne peut lui être attribué avec certitude.

Les cinq romans ont des traits communs extrêmement visibles. Tous sont des romans arthuriens. Dans tous l'amour joue un rôle important, et dans les quatre premiers d'entre eux il joue le rôle essentiel. A la différence de Wace, Chrétien ne prend pas pour sujet l'Histoire, génération après génération, règne après règne. L'action de chaque roman est concentrée dans le temps et autour d'un personnage central. En outre, bien que ses romans se situent au temps du roi Arthur, celui-ci n'en est jamais le héros. Il est l'arbitre et le garant des valeurs chevaleresques et amoureuses. Le monde arthurien est donc un donné immuable, qui sert de cadre à l'évolution et au destin du héros. Autrement dit, l'époque du roi Arthur est extraite de la succession chronologique où elle était insérée. Elle flotte dans le passé, sans attaches. Elle devient un temps mythique, un peu analogue au « Il était une fois » des contes. Les amarres du roman et de l'histoire en sont plus définitivement rompues. Dans un même mouvement, le sujet du roman se confond avec les aventures et le destin d'un personnage unique. Le sujet du roman, c'est le moment où se joue une vie.

De cette façon, non seulement Chrétien, contrairement

à Geoffroy de Monmouth et à Wace, ne prétend nullement raconter le règne du roi Arthur, mais encore il prête systématiquement à son lecteur une familiarité avec l'univers arthurien qui rend superflus les explications et les renseignements. Chaque récit particulier est présenté comme un fragment, comme la partie émergée d'une vaste histoire dont chacun est supposé maîtriser la continuité sous-jacente. Aucun roman ne présente le roi Arthur, la reine Guenièvre, la Table ronde, ses usages, ses chevaliers que le poète se contente d'énumérer d'un air entendu lorsque leur présence rehausse une cérémonie, un tournoi, une fête. A cela s'ajoute le mélange de dépaysement et de familiarité qui marque les cheminements du héros et ses aventures. A peine sorti du château du roi Arthur, à peine gagné le couvert de la forêt toute proche, il entre dans un monde inconnu, étrange, menaçant, mais où les nouvelles circulent à une vitesse étonnante et où il ne cesse de rencontrer des personnages qui le connaissent, parfois mieux qu'il ne se connaît lui-même, et qui lui désignent, de façon impérieuse et fragmentaire, son destin. A son image, le lecteur évolue dans un monde de signes, qui le renvoient perpétuellement, de façon entendue et énigmatique, à un sens présenté comme allant de soi, et pour cette raison même dissimulé. Le monde de ces romans est un monde chargé de sens avec une évidence mystérieuse.

Les innovations de Chrétien touchant le temps arthurien et le découpage de la matière romanesque ont donc des conséquences d'un poids beaucoup plus grand au regard du sens romanesque. Il faut bien, d'ailleurs, que Chrétien propose un sens, puisqu'il ne prétend plus à la vérité référentielle. Il faut bien qu'il suggère que ses romans proposent un autre type de vérité. C'est ce qu'il fait en particulier dans les prologues. Dédaignant de revendiquer, comme ses prédécesseurs, la véracité de sa source, dont il se plaît au contraire à souligner l'insignifiance (*Erec*), quand il ne la passe pas simplement sous silence, il laisse entendre qu'il est seul à l'origine d'un sens que révèle en particulier l'organisation (*conjointure*) qu'il donne à son récit. Ce sens, qui a valeur d'enseignement ou de leçon, ne se confond pas avec le sens littéral du récit, mais il n'a pas non plus l'existence autonome du sens second que propose une œuvre allégorique. Distinct du sens littéral, il lui est cependant immanent et ne peut que le rester. Le récit n'est pas le prétexte du sens. Les aventures vécues par le héros sont à la fois la cause et le signe de son évolution. L'aventure extérieure est à la fois la source et l'image de l'aventure intérieure. Car le sens est tout entier celui de l'aventure et de l'amour. La figure solitaire du chevalier errant, que Chrétien a presque inventée de toutes pièces, manifeste l'enjeu de ses romans : la découverte de soi-même, de l'amour et de l'autre.

Chrétien ne se distingue pas seulement par l'orientation nouvelle qu'il donne au roman, mais aussi par un ton, un style, un type de narration qui ne sont qu'à lui. Le ton de Chrétien, c'est d'abord son humour qui se manifeste par le recul qu'il prend — non pas constamment, mais de temps en temps et de façon très légère — par rapport à ses personnages et aux situations dans lesquelles il les place, grâce à un aparté, une incise du narrateur, en soulignant les contrastes ou l'aspect mécanique d'un comportement, d'une situation, ce qu'ils ont d'inattendu ou de trop attendu, en faisant ressortir avec lucidité l'aveuglement d'un personnage. Ce ton léger et cet humour sont servis par un style particulier : un style aisé, rapide et comme glissé, qui use habilement de la versification. Chrétien est le premier à briser le couplet d'octosyllabes. Au lieu de couler sa syntaxe dans le moule du vers ou du couplet et d'être martelée à son rythme, sa phrase est en décalage avec le couplet, joue des ruptures entre le rythme du couplet et le sien propre, ne se limite pas aux bornes des deux vers, mais court, plus longue, avec des rebondissements et des subordinations. A cela s'ajoutent des ellipses, des haplologies, une sorte de brièveté de l'expression qui se combinent avec la souplesse et l'apparence de naturel nées de la rupture du couplet.

Chrétien de Troyes ne marque pas seulement une étape importante dans le développement de notre littérature. C'est un des plus grands écrivains français.

La question des sources celtiques. Le lai breton

Quelle que soit la désinvolture de Chrétien à l'égard de ses sources, il n'a pas tout inventé des histoires qu'il raconte, tant s'en faut. Geoffroy de Monmouth et Wace non plus : le premier déclare d'ailleurs explicitement qu'il a utilisé des sources bretonnes. Les noms, les événements, les motifs, le type de merveilleux, parfois les récits mêmes que l'on trouve chez ces deux auteurs, chez Chrétien, chez ses successeurs ont des répondants et des échos dans le folklore et dans les textes celtiques, essentiellement irlandais et gallois. C'est ainsi que dans plusieurs récits gallois en prose (*mabinogion*) on rencontre le roi Arthur et ses compagnons (*Le Songe de Rhonabwy, Kulhwch et Owen*) ou des personnages qui portent le même nom que ceux de Chrétien et connaissent des aventures similaires (Owein, Peredur, Gereint, qui correspondent à Yvain, Perceval, Erec). Mais, conservés dans des manuscrits du XIIIe siècle, ces textes, dans l'état où nous les connaissons, sont postérieurs aux romans français et semblent avoir subi, au moins partiellement, leur influence. Cependant, l'originalité et l'ancienneté des littératures et des traditions celtiques sont trop avérées et les rapprochements avec les romans français trop constants et trop frappants pour que l'on puisse sérieusement nier que les seconds aient emprunté aux premières. Malgré le scepticisme excessif d'Edmond Faral (*La Légende arthurienne*, 3 vol., Paris, 1929), et comme d'autres critiques l'ont à l'inverse soutenu (Roger Sherman Loomis, Jean Marx), il n'est pas douteux que Geoffroy de Monmouth a effectivement emprunté à des sources celtiques et que les romanciers français ont ensuite, directement ou indirectement, fait de même, sans qu'il soit, bien entendu, le moins du monde légitime de réduire leur œuvre à ces sources.

Dans un cas au moins le poète français s'est expliqué sur le travail d'adaptation auquel il s'est livré. Ce poète est une poétesse, sans doute contemporaine de Chrétien de Troyes, Marie de France — ce surnom indiquant simplement que cette femme qui vivait en Grande Bretagne était originaire de l'Ile-de-France. Son œuvre maîtresse est un recueil de lais, c'est-à-dire en la circonstance — car le mot désigne aussi un genre lyrique et musical — de contes ou de nouvelles en vers. Dans le prologue général du recueil, Marie déclare avoir décidé d'adapter en français des lais bretons afin que la mémoire n'en soit pas perdue, et au début de chacun d'eux elle souligne soigneusement son origine et son enracinement bretons, en en donnant par exemple le titre dans la langue d'origine ou en précisant le lieu auquel est attachée la légende. Par exemple :

Une aventure vus dirai	*Je vais vous raconter une [aventure*
Dunt li Bretun firent un lai.	*dont les Bretons ont fait un lai.*
Laüstic ad nun, ceo m'est vis,	*Son titre est* Laüstic *: c'est ainsi, [je crois,*
Si l'apelent en lur païs ;	*qu'ils l'appellent dans leur pays ;*
Ceo est « russignol » en franceis	*c'est la même chose que « rossi- [gnol » en français*
Et « nihtegale » en dreit engleis.	*et « nightingale » en bon anglais.*
En Seint Mallo...	*A Saint-Malo...*

[(*Laüstic*, v.1-7)

L'un de ces lais est arthurien (*Lanval*), un autre se rattache à la légende de Tristan (*Chèvrefeuille*). Outre les douze lais de Marie de France, nous connaissons un nombre à peu près égal d'autres lais bretons anonymes. L'examen des uns et des autres ne contredit nullement les affirmations de Marie, bien au contraire. Les motifs et les personnages que l'on y rencontre sont familiers, non seulement au folklore, mais spécifiquement, pour certains d'entre eux, au folklore celtique : animaux blancs psychopompes, frontière de l'autre monde marquée par les eaux, loups-garous, fées amantes, amants venus de l'au-delà, soit du fond des eaux, soit du fond des airs. Le mot « lai » lui-même est un mot celtique qui désigne une chanson, justifiant ainsi le double sens qu'il revêt en français.

Les réminiscences celtiques dans la littérature « bretonne » française ne peuvent être niées. Quand bien même les auteurs les prétendraient plus nombreuses dans leur œuvre qu'elles ne sont en réalité, ils ne feraient ainsi que confirmer davantage encore la séduction exercée par cet univers sur eux-mêmes et sur leurs lecteurs. Mais sur quoi reposait cette séduction ? Comment interpréter l'acuité des réminiscences, non seulement d'ailleurs de la mythologie celtique, mais, plus largement, de la mythologie indo-européenne dans les romans français, dont les intérêts affichés, la cohérence apparente paraissent d'un ordre si différent ? On a pu, par exemple, déceler chez eux, et en particulier chez Chrétien, une attention si précise au temps calendaire et à son enchevêtrement de traditions hagiographiques et mythologiques qu'on ne peut ni l'attribuer au hasard ni très bien mesurer la valeur qu'elle revêt dans la composition littéraire. Les relations qu'entretient cette littérature avec les mythes ou avec ce que nous appelons le folklore posent désormais moins un problème de sources qu'un problème d'interprétation.

Le cas Tristan

Pourquoi réserver une place à part aux amants de Cornouailles, Tristan et Iseut ? N'appartiennent-ils pas au monde breton et aux romans bretons ? Ne finiront-ils pas, dans la littérature française, agrégés au monde arthurien ? Pourtant ils ne sont réductibles à aucune norme. Leur histoire est très tôt connue, citée partout, mais, des premiers romans français qui la racontent, nous ne connaissons que des fragments. On voit en eux à la fois le modèle de l'amour et un repoussoir pour les amants modèles. Chrétien ne cesse de les rencontrer sur son chemin sans jamais réussir à conjurer la malédiction dont il les voit chargés. Rarement héros littéraires auront connu une gloire aussi ambiguë.

Bien que les témoignages invoqués soient tantôt de datation incertaine, tantôt d'interprétation un peu douteuse, il semble que dès le milieu du XIIe siècle — avant Chrétien, avant Wace même — les troubadours aient connu Tristan et Iseut. La passion de Tristan devient très vite pour eux la référence et la mesure de tout amour, et le jeu de mots « triste - Tristan », qui s'imposera avec une insistance croissante dans les avatars successifs du roman, paraît ancien. D'autres témoignages permettent de supposer que l'histoire circulait dès la première moitié du XIIe siècle : le conteur Breri, que le *Roman de Tristan* de Thomas (ca. 1172-1175) invoque comme une autorité en la matière, est certainement le même que le Bleheris mentionné vingt ans plus tard dans la *Seconde Continuation de Perceval* et que le *Bledhericus famosus ille fabulator*, actif avant 1150 à en croire la description du Pays de Galles de Giraud de Barri qui écrit lui-même vers 1180. On a vu en lui, non sans vraisemblance, le chevalier gallois Bledri ap Cadifor, mentionné par des documents entre 1116 et 1135.

Quoi qu'il en soit de cette identification, il ne fait pas de doute que la légende est connue de bonne heure et qu'elle est d'origine celtique. Un conte d'enlèvement irlandais (*aithed*), celui de *Diarmaid et Grainne*, qui remonte au moins au IXe siècle, présente, non seulement dans son schéma général, mais aussi dans certains de ses détails les plus précis, d'extrêmes similitudes avec l'histoire de Tristan et Iseut. Les triades galloises, dont nous ne connaissons, il est vrai, que des manuscrits tardifs, parlent à plusieurs reprises d'un Drystan ou Trystan, fils de Tallwch, amant d'Essylt, femme de son oncle le roi March. Elles l'associent d'ailleurs au roi Arthur en en faisant un de ses proches.

Malgré la popularité précoce de la légende, une sorte de malédiction semble avoir frappé les premières œuvres françaises qui lui sont consacrées. Deux sont entièrement perdues — phénomène plus rare qu'on ne le croit parfois —, le roman d'un nommé La Chièvre et le poème de Chrétien « du roi Marc et d'Iseut la blonde ». Les autres sont fragmentaires, soit qu'elles aient choisi de ne traiter qu'un épisode particulier, comme le lai du *Chèvrefeuille* de Marie de France et les deux versions de la *Folie Tristan*, soit qu'elles nous soient parvenues mutilées, comme le roman de Béroul et celui de Thomas. Il faut se tourner vers les romans allemands inspirés des œuvres françaises, celui d'Eilhardt d'Oberg et celui de Gottfried de Strasbourg, et vers la *Tristramssaga* norroise pour reconstituer l'histoire dans son intégralité. Cette situation intrigue. On y a vu l'effet d'une sorte de censure. Et il est vrai que la légende a troublé autant qu'elle fascinait. Les poètes — et parmi eux Chrétien dans l'une de ses deux chansons — proclament, fidèles en cela à l'orthodoxie courtoise, la supériorité de leur amour sur celui de Tristan, car ils ont choisi d'aimer en toute liberté, alors qu'il y était contraint par la puissance du philtre. Dans *Cligès*, Chrétien se réfère ouvertement à la situation de Tristan et d'Iseut pour essayer — sans réel succès — de la rendre plus morale en évitant à l'héroïne d'avoir à se donner à la fois à son mari et à son amant. Mais ces réticences, qui n'ont pas porté atteinte à l'immense succès de la légende, n'expliquent nullement le caractère fragmentaire des premiers poèmes français qu'elle inspire. A n'en pas douter, celui-ci est la conséquence au contraire d'une popularité qui rendait inutile de raconter chaque fois l'histoire du début à la fin ou de la recopier intégralement.

Le roman de Béroul (ca. 1175 ?), dont il nous reste la partie centrale, livre la version dite « commune » de *Tristan et Iseut* et celui de Thomas, dont nous possédons plusieurs fragments séparés, et en particulier la fin, la version dite « courtoise ». L'une des différences entre les deux est que le philtre agit pour une période limitée chez Béroul, mais pour la vie entière chez Thomas, qui en fait ainsi une sorte de symbole de l'amour. Mais ils s'opposent surtout par leur style. Plus fruste, Béroul écrit avec une simplicité efficace qui ne s'embarrasse pas d'analyser les sentiments et tire sa profondeur de son laconisme même. Certaines contradictions dans son récit trahissent, selon certains, l'intervention d'un second poète. Thomas met une rhétorique d'une virtuosité parfois un peu complaisante au service d'une perception aiguë et violente de la passion.

Le roman breton et l'héritage de Chrétien

Les romans de Chrétien de Troyes ont exercé une influence profonde, qui s'est manifestée de plusieurs façons. Ils ont été imités. Ils ont fourni la matière des premiers romans en prose. Ils ont suscité sur le moment même la réaction de concurrents du maître champenois, soucieux d'affirmer leur originalité mais contraints de se définir par rapport à lui.

Ils ont été imités, et le roman arthurien en vers, désormais constitué en genre littéraire, connaît un vif succès jusque dans la seconde moitié du XIIIe siècle, moment où il recule définitivement devant la concurrence du roman en prose. Il conserve les caractères que lui a donnés Chrétien en peignant avec prédilection, à travers des aventures qui font volontiers appel au merveilleux et suivent très souvent un schéma de quête, l'apprentissage amoureux et chevaleresque d'un jeune héros — ou tout simplement ses exploits, quand ce héros est un chevalier et un amant aussi confirmés que Gauvain, le neveu du roi Arthur. Dans cette lignée se situent des romans comme *Le Bel Inconnu* de Renaud de Beaujeu (en réalité : de Bâgé), *La Mule sans frein* de Paien de Mézières, *Le Chevalier à l'épée*, *Meraugis de Portlesguez* de Raoul de Houdenc, *La Vengeance Raguidel* qui a été attribuée au même poète, *Hunbaut*, *L'Atre périlleux*, *Beaudous* de Robert de Blois, *Fergus*, *Yder*, *Durmart le Gallois*, *Le Chevalier aux Deux Epées*, *Les Merveilles de Rigomer*, l'interminable *Claris et Laris*, *Floriant et Florete*, *Escanor*, *Gliglois*, ou, en langue d'oc, *Jaufré*. On a soutenu non sans vraisemblance (Beate Schmolke-Hasselmann, *Der arthurische Versroman von Chrestien bis Froissart*, Tübingen, 1980) que le genre, déjà désuet au XIIIe siècle, survit alors dans le milieu, littérairement conservateur désormais, de la cour anglo-normande. A la fin du XIVe siècle, alors que personne n'a plus écrit de roman arthurien en vers depuis cent ans, le *Méliador* de Froissart renoue une dernière fois avec cette tradition.

Mais l'influence de Chrétien s'est exercée de la façon la plus féconde sur un sujet et autour d'un thème bien particuliers, la matière du Graal. Son dernier roman, *Le Conte du Graal*, est resté, on le sait, inachevé. Au château du Graal, Perceval n'a pas posé la question qui aurait guéri son oncle, le Roi Pêcheur ; il a ensuite erré pendant cinq ans, loin de Dieu et loin des hommes, avant de se confesser à son autre oncle, l'ermite. On pressent qu'il est désormais prêt à réussir là où il a échoué la première fois, mais le roman cesse alors de parler de lui : il suit les aventures de Gauvain et s'interrompt au milieu de l'une d'elles. Un roman admirable, un sujet fascinant : comment supporter de rester dans l'incertitude du dénouement ? Et c'est ainsi qu'on a ajouté au *Conte du Graal* des continuations. La première, écrite dans les premières années du XIIIe siècle, loin de conduire le roman jusqu'à son terme, ne revient même pas à Perceval : elle se contente de poursuivre, non sans talent d'ailleurs, les aventures de Gauvain. La seconde, placée sous l'autorité de Wauchier de Denain — attribution aujourd'hui acceptée après avoir été longtemps mise en doute —, est bien, quant à elle, une *Continuation Perceval*. Mais elle est, elle aussi, inachevée. Entre 1233 et 1237, une troisième continuation, due à un certain Manessier, clôt enfin le récit : Perceval succède à son oncle le Roi Pêcheur et règne sur le château du Graal. D'autre part, dans les années 1225-1230, un poète nommé Gerbert, qui se confond peut-être avec Gerbert de Montreuil, auteur du *Roman de la Violette*, écrit une continuation indépendante des trois autres qui, malgré ses 17000 vers, ne termine pas tout à fait l'ultime aventure du Graal. Manessier et Gerbert accentuent la coloration religieuse, déjà discrètement présente dans le roman de Chrétien. Mais cette tendance est plus sensible encore avant eux dans l'œuvre de Robert de Boron.

De ce chevalier franc-comtois nous possédons un roman en vers, le *Roman de l'estoire du Graal* ou *Joseph d'Arimathie*, écrit au plus tard en 1215. Dans ce poème, le Graal est une relique chrétienne : le calice de la dernière Cène, dans lequel Joseph d'Arimathie a ensuite recueilli le sang du Christ. Robert de Boron a écrit plus tard un *Merlin*, dont il ne nous reste que les cinq cents premiers vers mais dont nous connaissons la mise en prose. Il était probablement l'auteur d'un *Perceval*, dont le *Didot-Perceval* serait, selon certains, la mise en prose. L'ensemble constituait un premier cycle du Graal, précédant celui du *Lancelot-Graal* en prose. L'œuvre de Robert de Boron marque à un double titre un tournant important dans le traitement de la matière du Graal. D'une part, on l'a dit, elle en impose — définitivement — une interprétation religieuse et mystique. D'autre part, le destin de cette œuvre, écrite en vers mais bientôt mise en prose, se confond avec l'apparition des premiers romans en prose, qui sont des romans du Graal et qui se fondent à des titres divers sur ceux de Chrétien, comme on le verra dans le chapitre suivant.

C'est ainsi que l'essentiel de la production romanesque du XIIIe siècle, aussi bien dans ce qu'elle a de traditionnel — les romans arthuriens en vers — que dans ce qu'elle a de plus nouveau — les romans en prose — est, par des voies différentes, redevable à l'œuvre de Chrétien.

Les multiples chemins de l'aventure

Du vivant même de Chrétien, son confrère et rival Gautier d'Arras lui reproche, sans le nommer, à lui et aux amateurs de merveilleux breton, de raconter des histoires incroyables qui donnent à ceux qui les écoutent l'impression de rêver plus que d'être éveillés. Ainsi s'amorce une réaction contre l'influence de Chrétien. Cette réaction a été qualifiée souvent, mais improprement, de « réaliste ». Les romanciers qui s'en inspirent se gardent de rejeter l'apport essentiel de Chrétien : comme lui ils admettent implicitement le caractère fictif du roman, et ils ne prétendent nullement à la vérité historique ou référentielle. Simplement, leur conception de la vraisemblance est un peu différente de la sienne, et ils préfèrent éviter les brumes mythiques du monde arthurien. L'action d'*Ille et Galeron*, le premier roman de Gautier, se déplace de Petite Bretagne à Rome ; son second roman, *Eracle*, est aux limites du roman antique et aux limites du récit hagiographique, puisque le modèle de son héros est l'empereur Héraclius et que sa seconde partie se fonde sur la légende de l'invention de la Sainte Croix. Jean Renart, qui dans son premier roman, *L'Escoufle* (vers 1200), se livre comme Gautier d'Arras à un éloge polémique de la vraisemblance, ne lui ressemble guère pour le reste. Styliste brillant, esprit malicieux et subtil, habile à déconcerter sans en avoir l'air et à prendre à revers les lieux communs qu'il feint d'exploiter, il sait faire beaucoup avec rien et se plaît aux tableaux de genre, peignant avec légèreté et humour des scènes qui ne sont qu'en apparence quotidiennes. Dans le *Roman de la Rose ou de Guillaume de Dole* (ca. 1212 ou ca. 1228 selon les critiques), il insère pour la première fois des pièces lyriques dans le développement romanesque, procédé appelé à un immense succès jusqu'à la fin du Moyen Age, et dont, dans le prologue, il explique l'intérêt et le fonctionnement avec une fierté non dissimulée. Il est bientôt imité sur ce point — et sur d'autres — par le *Roman de la Violette ou de Gérard de Nevers* de Gerbert de Montreuil, tandis qu'à la fin du siècle le *Roman du Châtelain de Coucy et de la Dame de Fayel* de Jakemes cite les poèmes du trouvère du siècle précédent connu sous le nom de châtelain de Coucy, dont il a fait son héros.

Jean Renart est aussi l'auteur d'une sorte de nouvelle courtoise, le délicieux *Lai de l'ombre*. Ce poème n'est pas unique en son genre. Quelques autres offrent comme lui, sous le prétexte d'une intrigue très simple, un reflet —

une ombre — de la vie courtoise, du raffinement des manières et des sentiments, qui juge inutile de se transposer dans le lointain univers breton et de revêtir les accessoires arthuriens : ainsi *La Chastelaine de Vergi*, *Le Vair Palefroi* d'Huon le Roi, plus tard le *Dit du prunier*. Dans ces contes, la même élégance que l'on trouve chez Chrétien ne se cache plus d'être celle du monde contemporain.

Mais il est une foule d'autres romans qui, sans s'interroger sur les conditions de la vraisemblance, sans chercher le dépouillement d'une élégante brièveté, s'abandonnent simplement au goût des aventures mais dans d'autres cadres et selon d'autres conventions que ceux du monde arthurien. Ceux de Hue de Rothelande, à peu près contemporain de Chrétien, clerc normand à la plume facile et à la grivoiserie un peu cynique (*Ipomedon, Protesilaus*). Tous ceux qui placent l'action autour du bassin méditerranéen, soit qu'ils restent fidèles à l'Antiquité — pour le cadre, sinon pour les sources — (*Athis et Prophilias*, *Florimont*), soit qu'ils prolongent la tradition alexandrine des histoires d'amants séparés, courant le monde pour se retrouver (*Floire et Blancheflor* ou, dans une certaine mesure, *Partonopeus de Blois*, dans lequel la fée amante joue un rôle intéressant). Au XIIIe siècle, ces romans d'aventures diverses, si l'on peut dire, tout nourris de réminiscences variées, d'emprunts folkloriques et mythiques, de fantasmes divers — comme l'inceste dans *La Manekine* de Philippe de Remi, dans le *Roman du comte d'Anjou* de Jehan Maillart, dans le *Roman de la Belle Hélẹne de Constantinople*, dans le vieux *Roman d'Apollonius de Tyr* traduit du latin et mis au goût du jour —, ces romans sont aussi nombreux que les romans arthuriens en vers. Mis en prose, beaucoup d'entre eux — certains de ceux qu'on a cités, mais aussi *Blancandin*, *Cléomadès* d'Adenet le Roi et bien d'autres — connaîtront un certain succès jusqu'à la fin du Moyen Age. Nous les retrouverons alors.

TROISIÈME PARTIE

La constitution d'une littérature

L'essor original et fécond de la jeune littérature française au XIIe siècle ne se poursuit pas avec la même vigueur, semble-t-il, passé le premier tiers du XIIIe siècle. Les principales formes littéraires sont désormais en place, et elles paraissent se prolonger, parfois même s'épuiser, plus que se renouveler. Sans être entièrement fausse, cette impression ne doit pas faire méconnaître l'importance du XIIIe siècle. C'est d'une part un siècle critique, qui assimile et organise, dans tous les domaines de la vie intellectuelle, les acquis du siècle précédent. C'est l'époque des encyclopédies — des « miroirs », comme on dit alors — et des « sommes ». Ainsi, celle de saint Thomas d'Aquin fait la synthèse d'une réflexion théologique qui s'était développée depuis la seconde moitié du XIe siècle avec une vigueur extrême, mais parfois un peu désordonnée et même dangereuse aux yeux de l'Eglise. Ainsi, le triple *Miroir* de Vincent de Beauvais, un dominicain également, (*Speculum naturale*, *doctrinale*, *historiale*), est un monument d'érudition qui compile l'ensemble des connaissances de son temps. Les universités, qui apparaissent à cette époque et se développent rapidement, se donnent pour tâche l'organisation et la diffusion du savoir. Dans le domaine littéraire aussi cet effort d'organisation et de réflexion trouve sa place, tandis que la littérature française s'ouvre timidement à la spéculation intellectuelle.

D'autre part, les conditions de diffusion et d'exercice de la littérature font que celle-ci ne mérite vraiment son nom, dérivé du mot *lettre*, qu'à partir du XIIIe siècle. C'est le moment où la circulation des textes se développe et s'organise réellement. Les manuscrits littéraires français du XIIe siècle sont rares et les œuvres de cette époque nous sont connues par des manuscrits copiés au XIIIe. C'est l'époque où la littérature française entre réellement dans le monde de l'écrit. Le développement de la prose, qui est la grande nouveauté de ce siècle, n'est sans doute pas étranger à ce mouvement. En même temps le texte se définit d'une façon de plus en plus délibérée comme le reflet d'une conscience et multiplie les signes qui permettent l'identification d'un *je* littéraire, entraînant du même coup une redistribution des genres littéraires et en proposant une nouvelle interprétation.

CHAPITRE VI

Naissance de la prose : roman et chronique

Jusqu'à la fin du XIIe siècle, la littérature française est tout entière en vers et la prose littéraire n'existe pas. Les seuls textes en prose vernaculaire, dont le nombre n'est d'ailleurs pas considérable, ont un caractère utilitaire, qu'il soit juridique ou édifiant : ce sont des chartes, des traductions de l'Ecriture ou des sermons. Cette situation caractérise toutes les jeunes littératures : partout le vers apparaît avant la prose. Le seul point surprenant est qu'elle se reproduit même dans les cas où l'on connaît et où l'on pratique la prose dans une autre langue. Ainsi la prose latine est apparue après la poésie, bien que les Romains aient connu la prose grecque — dont la naissance est elle-même postérieure de trois siècles à celle de la poésie grecque. De même, le Moyen Age connaît et pratique depuis toujours la prose latine, ce qui n'a pas empêché le retard habituel dans le développement de la prose française. Celle-ci revêt à ses débuts deux formes, celle du roman et celle de la chronique, rétablissant en partie, mais d'une façon qui, du moins au début, reste toute formelle, la relation entre l'Histoire et les histoires qu'avait rompue le roman à la manière de Chrétien. D'une façon générale, la revendication constante de la prose ne cessera d'être celle de la vérité.

Les premiers romans en prose

Une trilogie sur la matière du Graal est écrite en prose vers 1220. On a vu dans le chapitre précédent qu'elle est constituée en partie — ou peut-être totalement — par la mise en prose des romans de Robert de Boron. Elle est formée du *Roman de l'estoire du Graal*, du *Merlin* et du *Perceval* en prose, appelé aussi *Didot-Perceval* ou *Perceval de Modène* d'après les deux manuscrits qui le contiennent. Elle retrace le destin du Graal et de la lignée qui en a la garde de la Passion du Christ jusqu'aux aventures de Perceval et à l'écroulement du monde arthurien. Mais voilà qu'un autre cycle du Graal en prose, d'une ampleur bien plus considérable, voit le jour dans les années 1225-1230 : l'énorme ensemble connu sous le nom de *Lancelot-Graal*. Sa première originalité, soulignée par le titre qu'on lui donne, est de déplacer l'accent de Perceval au lignage de Lancelot et de se rattacher ainsi non seulement au *Conte du Graal* de Chrétien, mais aussi à son *Chevalier de la Charrette*, à ce Lancelot qui accepte de se déshonorer aux yeux du monde pour l'amour de la reine Guenièvre. Le noyau du cycle, dit *Lancelot propre*, qui en constitue à lui seul près des deux tiers, est consacré entièrement à la naissance, à l'enfance, aux aventures de Lancelot, et à son amour qui fait de lui le meilleur chevalier du monde. Mais dans la *Queste del saint Graal*, qui en est la suite, l'amour adultère de Lancelot pour la reine l'exclut des mystères du Graal, dont les élus sont son fils Galaad, son cousin Bohort et Perceval. Cet amour est la cause indirecte de la catastrophe finale qui provoque la disparition du monde arthurien dans la *Mort le roi Artu*, le dernier élément du cycle. Celui-ci s'ouvre sur une *Histoire du Graal* et un *Merlin* ajoutés après coup et adaptés de la trilogie de Robert de Boron. On s'est étonné, bien entendu, du « double esprit » de ce cycle, amoureux et courtois dans le *Lancelot*, puis ascétique et mystique dans la *Quête* — la *Mort Artu* ayant sa tonalité propre, sombre, pessimiste, tourmentée par l'idée d'une fatalité d'où Dieu semble absent. Y a-t-il eu plusieurs auteurs ? Sans doute, mais d'un autre côté la composition de l'ensemble est extraordinairement rigoureuse, les contradictions sont minimes, d'infimes détails se répondent à des centaines, à des milliers de pages d'intervalle. Supposer avec Jean Frappier qu'un maître d'œuvre a conçu le plan et confié la réalisation à plusieurs écrivains est vraisemblable, mais ne fait guère autre chose que formuler autrement la difficulté. A vrai dire, le « double esprit » ne suppose nullement deux idéologies contradictoires. Ce mélange vertigineux et mystérieux de diversité et d'unité, fondé sur une sorte de dialectique de la perfection mondaine et de la perfection ascétique et mystique, ne révèle pas nécessairement une contradiction.

Enfin, un roman un peu étrange, le *Haut livre du Graal* ou *Perlesvaus*, écrit selon les uns dès les premières années du XIIIe siècle, selon les autres — et plus vraisemblablement — après le *Lancelot-Graal*, se présente comme une sorte de continuation en prose du *Conte du Graal*, tout en prenant des libertés avec les données laissées par Chrétien. Il relate les quêtes successives de Gauvain, de Lancelot et de Perceval (Perlesvaus) qui, après la mort du Roi Pêcheur, reconquiert le château du Graal sur un usurpateur.

Ainsi, les premiers romans en prose française sont des romans du Graal. Ce n'est probablement pas, ou pas uniquement, un effet du hasard. Aussi bien, ce caractère en apparence accidentel était parfaitement clair aux yeux des contemporains. Le traducteur de la *Philippide*, épopée latine à la gloire de Philippe Auguste, déclare — dans un prologue en vers — qu'il écrira en prose, sur le modèle « du livre de Lancelot, où il n'y a de vers un seul mot ». Un siècle plus tard encore, Guilhem Molinier, pour dire qu'il bornera ses *Leys d'Amors*, traité occitan de grammaire et de poétique, à l'étude des œuvres en vers et en exclura celles en prose, donne comme exemple et comme emblème de ces dernières « le Roman du Saint Graal ».

Pourquoi cette association de la prose et du Graal ? Probablement à cause de l'association de la prose et du religieux. Les romans en prose apparaissent au moment où la littérature du Graal prend une coloration mystique, où la gloire mondaine et les amours courtoises cessent d'être exaltées pour être marquées du sceau du péché, où Galaad fait figure de nouveau Christ de la chevalerie, venu achever l'œuvre de la Rédemption. C'est que les seuls modèles de prose française dont disposaient les romanciers étaient des textes religieux : quelques sermons, quelques traités d'édification, quelques récits hagiographiques traduits du latin. Plus encore, c'est la prose qui, en latin, sert à l'expression du sacré ; elle est le langage de l'exégèse et de la prédication, elle est le langage de la Bible. Non seulement le langage du Nouveau Testament et des livres historiques de l'Ancien, mais celui de l'Ecriture sainte tout entière, car l'extension, que l'on trouve chez Isidore de Séville, du mot *prosa* à tout ce qui ne relève pas de la métrique latine classique lui permet d'englober même les traductions latines des textes poétiques de la Bible, les psaumes ou le Cantique des Cantiques.

La prose, en un mot, est le langage de Dieu. La concevoir comme un mode d'expression direct, *en ligne droite*, comme le fait encore Isidore, par opposition aux sinuosités du vers soumis aux contraintes métriques, c'est implicitement lui reconnaître une adéquation plus parfaite à l'idée, que les détours et les ornements ne viennent pas dissimuler ou gauchir. Dans le climat platonicien du christianisme médiéval, ce trait marque une supériorité de la prose. On n'imagine guère la parole de Dieu se pliant aux lois frivoles du vers, ce qui montre d'ailleurs combien la littérature du Moyen Age est loin d'être une littérature primitive : la poésie, pour elle, n'est nullement le langage du sacré.

La prose est donc plus que le langage de la littérature religieuse, elle est celui de la Bible, et plus que le langage de la Bible, celui de Dieu. Un livre qui renferme une révélation des desseins de Dieu doit être en prose. C'est le cas des romans du Graal, dès lors qu'ils retracent l'histoire familiale des gardiens du vase mystique, de Joseph d'Arimathie à Galaad ou à Perceval, dès lors que cette histoire est supposée intéresser le salut de l'humanité tout entière et reçoit un sens eschatologique lié au mystère de la Rédemption, dès lors enfin qu'elle se développe autour d'une sorte de noyau à la fois plein et vide, les paroles ultimes de la révélation divine, toujours dissimulées et toujours efficaces. A la place et comme signe de cette brève prose de Dieu s'étend la prose du narrateur, celle du prêtre Blaise, par exemple, confesseur de la mère de Merlin et greffier supposé de son histoire.

Enfin, et de façon plus précise, le style de ces romans s'inspire fréquemment dans le détail soit de l'Ecriture sainte soit de la littérature homilétique, révélant ainsi les vrais modèles de la prose. Il arrive par exemple que la mise en prose de Robert de Boron s'écarte de l'original en vers pour traduire directement le passage scripturaire dont il s'était librement inspiré. Et la *Queste del saint Graal*, par la place qu'elle fait à l'allégorie dans l'interprétation du monde et des signes divins, s'inspire des méthodes de l'exégèse et du discours de la prédication.

La prose est donc liée à la vérité. C'est au demeurant un lieu commun des prosateurs du Moyen Age que d'affirmer que la prose est plus vraie que le vers et qu'elle ne sacrifie pas comme lui à l'ornement. Elle sert, dans le cas des romans du Graal, à l'expression d'une vérité qui est d'ordre spirituel, mais qui est aussi d'ordre historique. Car, en fixant la généalogie des gardiens du Graal, ces romans renouent d'une certaine façon avec le temps, suspendu par la vision du monde arthurien qu'avait imposée Chrétien. Il ne faut donc pas s'étonner de la voir s'imposer simultanément chez eux et, comme on le verra bientôt, dans les chroniques qui écrivent l'histoire en français.

Mais, bien entendu, le lien entre la prose et les préoccupations spirituelles disparaît dès que son emploi se généralise, c'est-à-dire très vite, favorisé par la multiplication de l'écrit, par la familiarité de plus en plus grande avec lui, par le développement, sans doute, de la lecture individuelle. On a déjà noté que l'atmosphère de la dernière partie du *Lancelot-Graal*, *La Mort le roi Artu*, était, si l'on peut dire, étrangement laïque. La même remarque peut s'appliquer à l'immense *Tristan en prose* écrit un peu avant le milieu du siècle et dont le succès est attesté par les quelque quatre-vingts manuscrits que nous en connaissons. Ce roman, qui mêle définitivement la matière tristanienne et la matière arthurienne, marque par le nombre des variantes d'un manuscrit à l'autre — variantes qui portent sur des épisodes entiers — le début d'une sorte de mouvance du texte que connaissent les romans bretons en prose à la fin du Moyen Age. Il intègre à sa matière une quête du Graal. *Guiron le*

Courtois, qui lui est à peine postérieur, tente de le compiler avec le *Lancelot-Graal*. On se perd à partir de là dans le dédale des copies et des compilations. Dans la sienne, Rusticien de Pise — le même qui a noté le *Livre des Merveilles* sous la dictée de Marco Polo — emprunte à la fois au *Tristan en prose* et à *Guiron le Courtois*. On peut suivre comme en creux, à travers les manuscrits, la trace d'un « cycle du pseudo-Robert de Boron », dont on n'a pourtant conservé aucun manuscrit complet. Plus que le vers, la prose invite au remaniement, « en lisant, en écrivant ». De copie en copie, elle subit l'empreinte des générations successives de lecteurs qui lui impriment leurs goûts.

Les chroniques, du latin au français et du vers à la prose

Pendant la plus grande partie du Moyen Age, l'histoire s'écrit normalement en latin. Le moment qui marque symboliquement le mieux son passage à la langue vulgaire est sans doute celui — tardif — où l'histoire des rois de France écrite à Saint-Denis (*Grandes Chroniques de France*) est dans un premier temps traduite en français (1274-1350), puis poursuivie directement dans cette langue. Mais on a vu aussi que l'écriture de l'histoire et celle du roman se sont trouvées imbriquées dès la naissance de ce dernier en un système complexe. Peu après, alors que le roman dérive vers la fiction, apparaissent des chroniques françaises, où l'on voit, mais de façon un peu artificielle, les débuts de l'histoire en langue française.

L'attention portée à l'histoire et le souci d'écrire l'histoire sont une des marques significatives du renouveau intellectuel de l'époque carolingienne. Ils répondent à des motifs à la fois immédiats et fondamentaux, politiques et spéculatifs. Charlemagne fait écrire les annales de son règne pour servir sa gloire. En même temps la réflexion sur les voies de Dieu et l'histoire du salut invite à un effort pour embrasser l'histoire de l'humanité tout entière. Suivant un exemple qui remonte à l'époque patristique, on tente de façon répétée d'établir des chronologies universelles qui opèrent la synthèse de l'histoire biblique et de celle de l'Antiquité païenne. Annales, chroniques et histoire sont des genres distincts, correspondant à des degrés croissants de recul par rapport aux événements et d'élaboration intellectuelle et littéraire. L'historien carolingien est un homme de cabinet, réunissant — parfois trafiquant ou forgeant — une documentation, choisissant une forme d'écriture, s'essayant à imiter les modèles antiques, réfléchissant sur les voies de Dieu et les actions des hommes. Ce type d'histoire perdure tout au long du Moyen Age, infléchi cependant par l'apparition d'une histoire nationale, dont les préoccupations se substituent à celles de l'histoire universelle. C'est le souci d'écrire cette histoire, c'est l'effort pour mettre en lumière des origines « nationales », bien que le mot soit à cette date encore impropre, qui sous-tendent la rédaction des premiers romans français. Etablir une continuité des Troyens aux Plantagenêts, c'était répliquer à la légende de l'origine troyenne des Francs (descendants de Francus), accréditée depuis Frédégaire et dont les rois de France pouvaient s'enorgueillir.

Mais au XIIe siècle commence à s'écrire en français une histoire plus récente, qui se coule dans les nouvelles formes poétiques vernaculaires. Celle de la chanson de geste pour Jordan Fantosme, qui raconte la campagne d'Henri II Plantagenêt contre les Ecossais en 1173, bien que sa versification soit assez particulière, mais surtout pour le cycle de la croisade et, au début du XIIIe siècle, pour la *Chanson de la croisade albigeoise* en langue d'oc, qui déclare elle-même être faite sur le modèle de la *Chanson d'Antioche*. Celle du récit en couplets d'octosyllabes pour l'*Histoire des Anglais* précédée d'une *Histoire des Bretons* aujourd'hui perdue, de Geffrei Gaimar, qui écrit dès les années 1135-1138, et pour l'*Histoire de la guerre sainte*, c'est-à-dire de la troisième croisade, écrite avant 1195 par Ambroise de Normandie, jongleur au service de Richard Cœur de Lion. Jusqu'à la fin du Moyen Age il s'écrira des chroniques rimées, relatant des événements particuliers ou célébrant de grands personnages. Plus ambitieuse — ambitieuse comme peut l'être le travail solitaire d'un amateur —, celle de Philippe Mousket va de la guerre de

Troie à l'année 1243, en utilisant abondamment les sources épiques et romanesques.

Cependant la prose, qui est en latin la forme de l'histoire, le devient en français dès le début du XIIIe siècle, au moment même où la matière du Graal inaugure le roman en prose. Mais ceux que l'on nomme les premiers chroniqueurs français sont en réalité des mémorialistes. Ils ont en commun de n'être pas des écrivains de profession. Ils relatent des événements auxquels ils ont été personnellement mêlés, dont ils ont été plus que les témoins, les acteurs, et parfois des acteurs importants. Ils ont été poussés à en écrire ou à en dicter le récit à cause de la vive impression qu'ils en ont gardée ou plus souvent pour des raisons personnelles liées au rôle qu'ils y ont joué. C'est déjà le cas, au début du XIIe siècle, pour l'ouvrage connu sous le nom d'*Histoire anonyme de la première croisade*, écrit en latin, certes, par le clerc qui l'a noté, mais certainement dicté par un chevalier, un croisé, qui ne connaissait que la langue vulgaire. Un siècle plus tard, l'œuvre de ses successeurs est conservée en prose vernaculaire. En prose plutôt qu'en vers, peut-être parce que ce sont des amateurs. Mais cinquante ans auparavant, nul n'aurait eu l'idée d'écrire en prose française. Que les chroniqueurs aient recours à cette forme nouvelle produira plus tard un choc en retour considérable sur le développement de la prose et sur celui du roman.

Ces chroniqueurs sont d'abord ceux de la quatrième croisade, Robert de Clari, acteur modeste sans être dupe, Geoffroy de Villehardouin, acharné à justifier, sous une affectation d'impartialité et de froideur laconique, des décisions politiques et militaires où il avait une part de responsabilité. Un peu plus tard Philippe de Novare, soucieux lui aussi de justifier ses choix dans les affaires politiques de Chypre, mais avec un tempérament bien différent, et dont l'œuvre, aujourd'hui partiellement perdue, était, d'après ce qu'il en dit lui-même, une sorte de construction autobiographique. Au début du XIVe siècle — mais il a vécu si vieux et écrit si tard ! — Jean de Joinville, transformant lui aussi en autobiographie ce qui devait être un recueil de souvenirs sur Saint Louis destiné à justifier sa canonisation. De l'un à l'autre, l'attention prêtée à soi-même, la mise en scène du moi sont de plus en plus importantes. De tels « chroniqueurs » entraînent le genre qu'ils illustrent de plus en plus loin de l'écriture de l'histoire.

Malgré l'existence de quelques œuvres comme la compilation connue sous le nom d'*Histoire ancienne jusqu'à César* (un peu avant 1230), fondée, non seulement sur la Bible, Flavius Josèphe ou Orose, mais aussi sur les romans antiques (celui de *Thèbes* est utilisé systématiquement), il faut attendre le milieu du XIVe siècle pour que l'histoire en prose française s'impose en tant que telle et se développe sous d'autres formes que celle des mémoires. On la verra alors devenir assez féconde et assez puissante pour écraser d'une certaine façon le roman. En attendant, il ne semble guère y avoir de point commun au départ entre les premières chroniques et les romans du Graal. Mais la forme prose commence à manifester, partout où elle apparaît et dès qu'elle apparaît, sa prétention uniforme à la vérité.

CHAPITRE VII

La dramatisation et le rire

Expression dramatique de la littérature

Parmi les plus anciens textes français, nous avons mentionné, dans notre second chapitre, les passages en langue vulgaire insérés dans certains drames liturgiques. Cependant, le théâtre ne figure pas parmi les formes au travers desquelles la jeune littérature française a manifesté d'emblée sa créativité et son indépendance. Il est peu représenté jusqu'à la fin du XIIIe siècle. Mais cette proposition même est inadéquate et anachronique en ce qu'elle se fonde sur un découpage et une pratique modernes de la littérature. La littérature médiévale est presque exclusivement chantée ou récitée. Elle n'existe qu'en performance. Elle relève donc tout entière de la mise en spectacle et de l'expression dramatique. Ce que nous nommons le théâtre n'est qu'un cas particulier de cette situation générale. Il y a, au XIIe et au XIIIe siècle, peu de pièces de théâtre en français, mais toute la littérature française est — peu ou prou — théâtre. Les jongleurs sont en partie les héritiers des mimes latins, comme l'a montré Edmond Faral (*Les Jongleurs en France au Moyen Age*, Paris, 1913). Très certainement leur interprétation était bien souvent dramatisée, et l'abondance des dialogues dans la littérature médiévale suggère les effets qu'ils pouvaient en tirer en contrefaisant la voix de l'un, puis de l'autre. Une œuvre inclassable comme la charmante *chantefable* — le mot, créé, semble-t-il, par son auteur pour la désigner, n'est pas attesté ailleurs — d'*Aucassin et Nicolette* (XIIIe siècle) paraît conçue en vue d'un *one man show* de ce genre : faisant alterner des sections en vers et des sections en prose — les premières chantées et les secondes récitées, comme les rubriques du manuscrit le précisent au début de chacune —, multipliant les dialogues, elle raconte avec bonhomie sa petite histoire idyllique, faisant défiler avec rapidité et humour les poncifs des différents genres littéraires. Dans un registre tout différent, le *Dit de l'herberie* de Rutebeuf est le pastiche d'un boniment de charlatan destiné à mettre en valeur le talent de l'imitateur, qui le débite au second degré sans faire oublier sa présence.

Mais la littérature dans son ensemble évolue au XIIIe siècle de façon à accentuer cette dramatisation générale tout en en modifiant les traits et les implications. La poésie tourne à une mise en scène volontiers caricaturale du moi, et le rire auquel elle fait une place paraît, dans des conditions qu'il reste à élucider, au cœur des formes nouvelles de la dramatisation. C'est pourquoi on étudiera à la fois dans ce chapitre la naissance et le développement du théâtre — auquel la clarté de l'exposé exige de faire malgré tout une place à part —, l'exhibition du moi à laquelle se livre désormais la poésie et les formes particulières du comique littéraire à cette époque.

Le théâtre

Il faut bien, puisqu'il n'a pas été jusqu'ici question du théâtre, remonter brièvement jusqu'à ses premières manifestations. Aucune mutation, aucun surgissement ne font au départ du théâtre français un genre essentiellement indépendant du théâtre religieux médio-latin, rien ne rompt véritablement la continuité de l'un à l'autre, comme si la proportion du latin et de la langue vulgaire dans le drame liturgique se modifiait seulement peu à peu, jusqu'à ce que la seconde finisse par l'emporter. La première pièce entièrement en français, le *Jeu d'Adam*, que l'on peut dater du milieu du XIIe siècle, est en fait un drame liturgique représentant la création de l'homme et le péché originel. Son insertion dans la liturgie du jour comme sa dépendance à l'égard du latin sont encore très fermement marquées. Son titre tel qu'il figure dans le manuscrit — *Ordo representacionis Ade* — et ses didascalies sont en latin. Elle intègre une leçon et sept répons empruntés à l'office de la Septuagésime, qui, chantés par le chœur, scandent le *Jeu* et en font comme une glose de l'office du jour. La leçon, sur laquelle il s'ouvre et dont le manuscrit ne donne que les premiers mots, *In principio creavit Deus caelum et terram*, doit certainement être entendue comme comprenant tout le premier chapitre de la Genèse, conformément à la liturgie. Ainsi le spectateur écoute d'abord en latin le prologue des événements qu'il verra ensuite représentés en français. Ceux-ci sont encadrés, comme autant de scènes, par les répons, dont chacun apparaît ainsi comme une sorte de résumé préliminaire du développement dramatique qui le suit et l'illustre, et dont du même coup il garantit par avance l'orthodoxie. La liberté dont jouit le poème dramatique en langue vulgaire ne s'exerce qu'à l'ombre du texte sacré. Le *Jeu* ne peut qu'amplifier et orchestrer — avec, au demeurant, une densité vigoureuse — les quelques versets qui lui fournissent sa matière et dont le respect de l'Ecriture sainte lui interdit de s'écarter.

Cinquante ans plus tard, le *Jeu de saint Nicolas* du grand trouvère arrageois Jean Bodel est certes encore une pièce religieuse, à la profondeur spirituelle plus grande qu'il n'y paraît d'abord, mais il a rompu tout lien avec la liturgie, même s'il a été représenté en la vigile de la Saint-Nicolas d'hiver, probablement le 5 décembre 1200, et avec le latin, bien que plusieurs drames liturgiques dans cette langue aient illustré des miracles de saint Nicolas. De latin, il ne reste plus un mot : le prologue — authentique ou non — comme l'unique didascalie du texte sont en français. Mais la principale nouveauté de la pièce est ailleurs. Elle est dans son ouverture sur la vie quotidienne arrageoise, peinte avec précision et verve, au mépris d'ailleurs de toute vraisemblance, puisque l'action est située chez les infidèles du « royaume d'Afrique ». La représentation des voleurs qui s'en prennent au trésor du roi d'Afrique confié à la garde du saint est en effet le prétexte de longues scènes de taverne, avec leurs beuveries et leurs parties de dés. On vend du vin d'Auxerre, on compte en deniers et en mailles : l'Afrique est loin. Est-ce un détail ? Une circonstance accidentelle ? Peut-être. Mais il se trouve qu'à partir de ce moment, les quelques pièces de théâtre arrageoises qui s'échelonnent au cours du XIIIe siècle, en même temps qu'elles se tournent progressivement vers des sujets profanes, font presque systématiquement une place aux scènes de taverne.

Ainsi *Courtois d'Arras*. Est-ce une pièce de théâtre ? Ce n'est pas absolument certain si l'on prend l'expression dans son sens moderne, mais le poème est entièrement dialogué et se prête visiblement à une mise en scène, que le dialogue ait été réparti entre plusieurs acteurs ou interprété par un jongleur unique revêtant successivement tous les rôles. C'est une adaptation de la parabole de l'enfant prodigue (Luc. 15, 11-32). Un sujet religieux, là encore, mais la phrase de l'Evangile qui a le plus retenu l'attention de l'auteur et qu'il a développée avec le plus d'abondance et le plus de complaisance, est celle où il est dit que le fils prodigue dépense sa part d'héritage dans une vie de débauche. C'est le prétexte d'une longue et pittoresque scène de taverne où l'on voit le malheureux jeune homme se ruiner par les soins de l'aubergiste et de deux entraîneuses. Ce passage représente à lui seul la moitié du texte (328 vers sur 664).

C'est encore à un Arrageois, Adam de la Halle — évoqué plus haut comme poète lyrique —, que l'on doit, vers 1280, les premières manifestations d'un théâtre profane français, exception faite de la courte farce du *Garçon et de l'aveugle*, qui date du milieu du siècle environ. L'une de ses deux pièces, le *Jeu de Robin et Marion*, est comme la mise en scène d'une pastourelle, avec des variations sur les différentes situations traitées dans ces chansons. Mais l'autre, le *Jeu de la Feuillée*, est d'une portée toute différente. Les personnages de cette pièce sont Adam de la Halle lui-même, son père, ses amis, ses voisins, tous individus bien réels, mêlés à d'autres, représentant la foule qui bat le pavé d'Arras : campagnards ahuris, quêteurs douteux, mégères portées sur la bagatelle et sur la sorcellerie. Adam qui, au début de la pièce, vêtu en clerc et portant beau, croit les voir tous pour la dernière fois et prend congé d'eux, bien décidé à aller poursuivre ses études à Paris, restera prisonnier de ce monde borné, grotesque, dérisoirement enchanté — une scène de féerie occupe le milieu de la pièce —, et d'un mariage décevant. Avec les autres il ira finir la nuit... à la taverne.

La taverne est le lieu de la déchéance, pour les voleurs du *Jeu de saint Nicolas*, pour Courtois, pour Adam, mais le lieu aussi où cette déchéance prête à rire. Un rire qui dans le *Jeu de la Feuillée* s'exerce aux dépens du poète lui-même comme aux dépens des autres. Or Adam, qui se met en scène au sens propre dans la *Feuillée*, se met également en scène métaphoriquement dans un poème, les *Congés*, dont le thème est analogue. Et vers la même époque, à Paris, Rutebeuf, qui décrit dans plusieurs poèmes la déchéance et la misère où l'ont conduit la vie de taverne, exprime dans d'autres — hors, il est vrai, de tout comique — sa dévotion et son repentir en des termes très proches de ceux qu'il place dans la bouche du clerc Théophile, dans le *Miracle* dramatique qu'il lui consacre. Si l'on se souvient que le théâtre médiéval n'est qu'artificiellement séparé, sous notre regard anachronique, de l'expression dramatique qui colore l'ensemble de la littérature, on est ainsi amené à le mettre en relation avec l'évolution que connaît la poésie au cours du XIIIe siècle, et que l'on définissait plus haut comme une mise en scène caricaturale du sujet, à la fois complaisante et sévère.

Le dit *: une naissance de la poésie*

Le grand chant courtois des trouvères survit jusqu'à la fin du XIIIe siècle. Adam de la Halle lui-même, auteur aux talents variés, en est un des derniers représentants. Mais l'expression poétique emprunte dès ce moment d'autres voies, qui ne sont plus celles du lyrisme. Une poésie récitée, dont l'origine et les conventions n'ont rien à voir avec le lyrisme courtois, se développe et constitue la préhistoire de la notion moderne de poésie. C'est elle en effet qui, pour une large part, donnera naissance à ce que nous appellerions aujourd'hui la « poésie personnelle », ou même la « poésie lyrique », dans l'usage commun que nous faisons de cette expression et qui ne se réfère plus au chant. C'est aussi cette poésie récitée — le *dit* par opposition au chant — qui est le cadre de la dramatisation du moi.

L'inspiration première de cette poésie est à la fois morale, religieuse et satirique. Elle se développe à partir du milieu du XIIe siècle sous la forme de « sermons » en vers, de revues des catégories de la société ou « états du monde », qui dénoncent les vices de chacun, mais elle tend, vers le tournant du siècle, à s'enraciner dans l'expérience et le point de vue particuliers du poète. Ils orchestrent, vers 1190, l'ouverture et la chute des *Vers de la Mort* d'Hélinand de Froidmont, dont le succès et l'influence sont considérables et dont la forme strophique sera très souvent reprise. Ils nourrissent et ils structurent de façon infiniment plus radicale et plus dramatique en 1202 les *Congés* de Jean Bodel, l'auteur du *Jeu de saint Nicolas*, devenu lépreux, et, soixante-dix ans plus tard, ceux d'un autre Arrageois devenu lépreux à son tour, Baude Fastoul. Frappé par le terrible mal dans lequel il veut voir une grâce et non un châtiment, méditant sur les voies de Dieu, sur la souffrance et sur la mort, le poète, exclu vivant du monde des vivants, prend congé de tous ses amis l'un après l'autre, tout en se peignant avec un humour noir sous les traits terribles et grotesques qui sont désormais les siens, se regardant avec le regard des autres, riant de lui-même avant qu'on rie de lui. Et quelques années plus tard, on l'a vu, Adam de la Halle pousse jusqu'au bout la logique de cette dramatisation du moi en écrivant, à côté de ses propres *Congés* — provoqués, non par la maladie, mais par le dégoût de sa ville natale et de ses habitants — et sur le même thème, le *Jeu de la Feuillée*, dont on mesure à présent qu'il est plus révélateur, précisément en tant qu'œuvre dramatique, de l'évolution de la poésie que de celle du théâtre.

Mais c'est Rutebeuf, dont l'activité s'étend entre 1250 et 1280 environ, qui incarne plus que tout autre cette mutation du langage poétique. Poète de profession, d'origine champenoise, mais dont toute la carrière s'est déroulée à Paris, il a mis sa plume au service de causes variées : la croisade et la défense de l'Orient latin, l'illustration hagiographique ou mariale, et surtout la querelle qui, au sein de l'université de Paris, a opposé, dans les années 1250, les Ordres mendiants aux maîtres séculiers. Ailleurs, il se contente de plaindre sa misère. Ses *dits* apparaissent comme une caricature du moi et du monde à travers un imaginaire concret. Le poète parle de lui et prétend raconter sa vie en même temps que celle de ses compagnons de débauche et de misère, bien qu'il soit évidemment vain de chercher la part de vérité que peuvent renfermer ces fausses confidences : un mariage malheureux, la faim, le froid, la maladie, la soumission dégradante à la passion du jeu et à celle du vin. Il fait en même temps le récit de ses rêves et des visions allégoriques dont il prétend avoir été favorisé. Au milieu de tout cela il multiplie les plaisanteries, les calembours, les jeux verbaux, il commente son propre nom à partir d'étymologies fantaisistes. En un mot, sa poésie donne souvent l'impression d'une parade de soi-même, d'un de ces monologues de théâtre tout entiers conçus en fonction de l'effet qu'ils veulent produire sur le public, auquel ils doivent donner l'impression d'être une confidence sans fard, improvisée sous le coup de l'humeur et du découragement, dans un de ces moments où l'on oublie le respect humain, où l'on renonce à sauver les apparences, et où l'on ne sait plus que faire rire tristement ou amèrement de soi-même. Certaines des formes métriques auxquelles il a recours, comme celle du *tercet coué*, renforcent l'impression de désinvolture affectée et de facilité lasse. Cette poésie des choses de la vie n'a nullement pour préalable une exigence de sincérité, contrairement à la poésie courtoise, beaucoup plus abstraite pourtant et aux règles formelles rigides. Elle vise seulement à une dramatisation concrète du moi. C'est une poésie de la réalité particulière et reconnaissable, mais travestie, comme est travesti le moi qui l'expose et qui s'expose.

La présentation qui vient d'être faite du *dit* pourrait laisser croire qu'il comporte par définition une part de comique. Il n'en est rien. On a simplement choisi jusqu'ici des exemples dans lesquels le comique amplifiait les effets de la théâtralisation et de l'exhibition du moi. Théâtralisation et exhibition elles-mêmes ne revêtent pas nécessairement — ne revêtent pas le plus souvent — la forme de la confidence. Elles n'en sont pas moins toujours présentes, ne serait-ce que dans les formes de l'énonciation.

Comme l'écrit Jacqueline Cerquiglini : « Le dit est un discours qui met en scène un "je", le dit est un discours dans lequel un "je" est toujours représenté. Par là, le texte *dit* devient le *mime* d'une parole. » On verra plus loin comment la poésie de la fin du Moyen Age construit le personnage du poète à partir de la combinaison du dit et des formes proprement lyriques.

Les fabliaux

Il n'est ni artificiel ni paradoxal de traiter des fabliaux en même temps que du théâtre et du *dit*. Eux aussi supposent une performance de type dramatique. D'eux aussi on peut dire que « le texte *dit* devient le *mime* d'une parole ». Eux aussi exhibent volontiers le « je » qui les énonce. Et partout se retrouvent la taverne, la misère et le rire. Il y a entre les trois formes une parenté qui tient à leur atmosphère commune et à leurs effets. Les auteurs, pour autant qu'on les connaisse, sont souvent les mêmes (Jean Bodel, Rutebeuf, Jean de Condé). Enfin, dans la terminologie médiévale elle-même, les frontières du *dit* et du fabliau ne sont pas toujours bien marquées.

Les fabliaux sont des « contes à rire en vers » (Joseph Bédier) qui connaissent un très vif succès de la fin du XIIᵉ au début du XIVᵉ siècle. On s'accorde généralement à identifier comme tels environ cent cinquante textes, longs le plus souvent de quelques centaines de vers. Ils sont écrits ordinairement en couplets d'octosyllabes, avec quelques exceptions intéressantes, comme *Richeut*, le plus ancien d'entre eux, et le *Prêtre qui fut mis au lardier*, dont le mètre est lyrique. Les sujets, traditionnels et conventionnels, et dont certains se prêtent à une moralité, se retrouvent dans le folklore de nombreux pays, comme, au Moyen Age même, dans des compilations édifiantes — par exemple la *Disciplina clericalis* du Juif espagnol converti Pierre Alphonse —, dans des recueils d'*exempla*, dans des fables et des contes d'animaux. Cette universalité même rend incertaines les hypothèses touchant la genèse du genre. Le ressort de l'intrigue est généralement la duperie, qui fait rire du personnage berné, souvent un trompeur trompé.

Parfois cependant la situation est piquante sans être réellement comique, et l'enseignement qui s'en dégage est parfaitement sérieux (*La Pleine Bourse de sens*, *La Housse partie*).

Les histoires de maris trompés, de prêtres lubriques, de séducteurs mutilés occupent une place considérable. Un tiers environ des fabliaux sont scatologiques ou obscènes, au point souvent d'étonner par le scabreux des situations et la crudité de l'expression même une époque aussi peu bégueule que la nôtre. Ainsi *Le Chevalier qui faisait parler les cons et les culs* — ancêtre des *Bijoux indiscrets*, mais sans l'euphémisme —, *Le Prêtre crucifié*, *Le Rêve des vits*, *Les Trois Dames qui trouvèrent un vit*, *Le Sot Chevalier*, *La Demoiselle qui ne pouvait entendre parler de foutre*, *La Crotte*, *Le Pet au vilain*, et bien d'autres. Cette insistance a intrigué, et a donné lieu à des analyses et à des interprétations parfois très différentes (Philippe Ménard, *Les Fabliaux*, Paris, 1983 ; Howard Bloch, *The Scandal of the Fabliaux*, Chicago, 1984). Peut-être pourrait-on mettre en relation la sensualité propre à la poésie courtoise, qui se permet toutes les audaces, sauf la désignation explicite des *pudenda*, et l'obscénité des fabliaux qui consiste à ne parler de l'amour en ne considérant à l'inverse que les parties du corps directement intéressées. On pourrait ainsi prendre en compte les deux aspects opposés de la *Névrose courtoise* (Henri Rey-Flaud, Paris, 1983).

Cette grivoiserie et cette grossièreté, jointes au ton général du genre, à son cynisme terre à terre, ont fait douter qu'il ait pu s'adresser au même public que les romans courtois. On y a vu « la poésie des petites gens », bien différente de celle que goûtait l'aristocratie (J. Bédier, *Les Fabliaux*, 1893). Cette opposition n'est pas fondée. Comme l'a montré Per Nykrog (*Les Fabliaux*, Copenhague, 1957), le public de tous ces genres littéraires était le même, et l'opposition de la courtoisie et du « réalisme » ne reflète que celle des conventions de style. C'est pourquoi il est pertinent de tenter une interprétation des deux modes d'expression en relation l'un avec l'autre.

Les sujets et l'esprit de certains fabliaux se retrouvent dans les nouvelles de la fin du Moyen Age et dans le théâtre comique de la même époque, mais le genre lui-même s'éteint dès le premier tiers du XIVe siècle.

Le Roman de Renart

On a signalé plus haut les rencontres entre les fabliaux et les contes d'animaux. Les uns et les autres ont en commun de prêter à rire ou à sourire et de dégager une moralité. Cependant, si le Moyen Age n'a pas ignoré les fables animalières, c'est surtout vers le *Roman de Renart* que convergent, à l'époque même des fabliaux, les contes d'animaux.

D'Esope, le Moyen Age n'a connu que le nom, d'où il a tiré celui qu'il donne au genre même de la fable : *isopet*. L'œuvre de Phèdre, encore connue au IXe siècle, s'est perdue ensuite jusqu'à la fin du XVIe siècle. Mais les fables de son tardif émule Flavius Avianus devaient être traduites en français (*Avionnet*), tandis qu'apparaissent au Xe siècle des compilations et des adaptations nouvelles, dont certaines ont connu un grand succès et ont été traduites en langue vulgaire : l'*Esope d'Adémar* et l'*Esope de Wissembourg*, tous deux en prose, dont le premier est copié de la main d'Adémar de Chabannes, et surtout le *Romulus*, qui se donne pour une traduction du grec faite par un certain Romulus à l'intention de son fils Tiberinus. Le *Romulus* en prose est exploité ou recopié, parfois sous une forme abrégée, par de nombreux auteurs — par exemple, au XIIIe siècle, Vincent de Beauvais. Au XIIe siècle, il fait l'objet de plusieurs adaptations en vers, dont une a pour auteur Alexandre Neckam et une autre est attribuée à un certain Walter l'Anglais, tandis qu'il reçoit divers ajouts — parfois constitués par les fables d'Avianus — dans des rédactions composites. L'une d'elles, dite *Romulus anglo-latin*, est traduite en anglais et c'est cette traduction qu'utilise Marie de France pour composer, vers 1170, le premier recueil de fables en français. Aux XIIIe et XIVe siècles le recueil de Walter l'Anglais est adapté en français dans l'*Isopet de Lyon* et les *Isopets I et III de Paris*, le *Novus Æsopus* d'Alexandre Neckam donnant naissance à l'*Isopet II de Paris* et à l'*Isopet de Chartres*.

Le *Roman de Renart* possède lui aussi des antécédents latins. Alcuin, au temps de Charlemagne, était déjà l'auteur d'un poème intitulé *Versus de Gallo* (Poème du Coq), tandis que le XIe siècle voit la composition d'un *Gallus et Vulpes* (Le Coq et le Renard). Au Xe ou XIe siècle, un religieux de Toul écrit l'*Ecbasis cujusdam captivi per tropologiam* (Moralité sur l'évasion d'un prisonnier), épopée animale dans laquelle les animaux représentent les moines d'un couvent. Surtout, on voit figurer dans l'*Ysengrimus*, poème de 6 500 vers environ longtemps attribué à un moine de Gand nommé Nivard et composé vers 1150, soit vingt-cinq ans environ avant la branche la plus ancienne du *Roman de Renart*, des épisodes qui reparaîtront dans celui-ci. Le goupil de Nivard s'appelle Reinardus, le loup Ysengrimus. La parenté est évidente. Autour de ces textes un long débat, un peu analogue à celui qui avait pour objet la chanson de geste, a opposé ceux qui, contre toute vraisemblance, n'admettaient pour le *Roman de Renart* d'autres sources que latines et ceux qui, parfois maladroitement, soulignaient la prolifération universelle des contes d'animaux et leur diffusion souvent orale.

Le *Roman de Renart* n'est pas une composition suivie et homogène. Il est composé d'un certain nombre de parties indépendantes, ou *branches*, composées par des auteurs différents et unies par un enchaînement narratif des plus lâches. La partie la plus ancienne est la branche traditionnellement désignée comme la branche II, composée vers 1175 par Pierre de Saint-Cloud. Elle conte les mésaventures de Renart avec Chanteclerc le coq, avec la mésange, avec Tibert le chat (le piège), avec Tiercelin le corbeau (le corbeau et le renard) ; puis la visite de Renart à Hersent la louve, le traitement qu'il inflige aux louveteaux, enfin le viol d'Hersent à Maupertuis. A cette branche, on a ajouté, à partir de la fin du XIIe siècle, toute une série de suites. D'une part la branche I, suite logique et chronologique de la branche II, mais placée en tête par tous les manuscrits (jugement de Noble le lion, puis siège de Maupertuis et Renart teinturier). D'autre part, se greffant elles aussi directement sur la branche II, les branches Va (autre plainte d'Isengrin devant Noble, serment de Renart sur le corps de Roonel le chien), Vb (Renart, Isengrin et le jambon, Renart et Frobert le grillon) et XV (Renart,

Tibert et l'andouille). Enfin, les branches III (les anguilles, la pêche d'Isengrin), IV (Renart et Isengrin dans le puits) et XIV (Renart et Primaut). D'autres branches ont été composées tout au long du XIIIe siècle. Mais, dès 1190, le poète alsacien Heinrich der Glichezâre avait écrit, avec son *Reinhart Fuchs*, un récit cohérent et complet des aventures de Renart.

La verve des auteurs s'exerce volontiers aux dépens des diverses catégories sociales, dont les comportements sont reflétés par ceux des animaux qui les incarnent : le roi Noble, les grands féodaux que sont Isengrin et ses amis, le clergé représenté par l'âne Bernard. Certaines branches du *Roman de Renart* jouent de la représentation ambiguë, tantôt animale, tantôt humaine, des personnages. Renart rend à Hersent une visite galante, comme un amant courtois à sa dame. Mais il *compisse* les louveteaux, retombant dans l'animalité tandis que le château redevient tanière. Poursuivi par Isengrin et Hersent, il se réfugie chez lui, à Maupertuis. Mais ce château lui-même est un terrier de renard, dans l'entrée trop étroite — dans le « mal pertuis » — duquel la louve reste coincée, tandis que le goupil, ressortant par une autre issue, abuse de la situation... *a tergo more ferarum*. La démarche de Grimbert le blaireau est évoquée de façon réaliste s'agissant de l'animal, mais en même temps comique si l'on se représente un homme se dandinant comme un blaireau. Renart enfourche un cheval pour se rendre à la cour de Noble, mais ce cheval traîne et bronche parce que son maître n'est pas pressé d'arriver, et l'on s'aperçoit qu'il n'a pas d'autres pattes que celles du goupil. Le cortège funèbre de Dame Coppée, la poule, est décrit de façon tout humaine, mais la défunte mérite d'être pleurée car elle « pondait les œufs gros », et Chanteclerc, qui mène le deuil, va « battant des paumes », comme un homme qui se tord les poings, comme un coq qui bat des ailes. Ailleurs bêtes et hommes entretiennent des relations complexes. Les premières restent soumises à leurs mœurs et à leur condition. Mais ce sont des animaux sauvages et prédateurs, en même temps que des *barons* dans le royaume des bêtes, et ils sont confrontés à des hommes qui appartiennent toujours aux basses classes de la société (*vilains* ou humbles prêtres de campagne) : de ce fait ils sont souvent vis-à-vis d'eux dans la position du noble, du seigneur, dont ils incarnent les exigences et la brutalité. Partout enfin joue l'ambiguïté du masque : a-t-on affaire à des animaux travestis en hommes ou à des hommes travestis en animaux ?

Malgré sa causticité, le *Roman de Renart* n'est pas en lui-même une œuvre de satire sociale ou politique, mais il a été utilisé dans ce sens. *Renart le Bestourné* de Rutebeuf, le *Couronnement de Renart* qui s'en inspire et, de façon beaucoup plus ample, *Renart le Nouvel* de Jacquemart Giélée (vers 1288) et *Renart le Contrefait* (entre 1320 et 1340) reprennent le personnage de Renart et le cadre de ses aventures pour introduire une satire politique dans le cas de Rutebeuf, une revue polémique des états et de l'état du monde pour les deux autres œuvres, avec dans la dernière un aspect encyclopédique. Alors que le *Roman de Renart*, avec une sorte de détachement amusé et cynique, maintenait la balance égale entre Renart et ses adversaires, en les peignant également condamnables et odieux, le poids de la condamnation, plus tard, retombe souvent tout entier sur le goupil. Il incarne le mal, dont le roux est la couleur, et ses ennemis le bien. Au XIVe siècle, dans le *Roman de Fauvel*, Fauvel, animal mythique qui représente toute la bassesse et l'hypocrisie du monde et que les puissants se disputent l'honneur de torcher, se caractérise, comme son nom l'indique, par la couleur fauve de son pelage. Aussi bien, en dehors du *Roman de Renart*, c'est du côté de la moralisation que penchent toutes les autres histoires d'animaux, qu'il s'agisse des isopets ou du *Livre des bêtes* de Raymond Lulle, inspiré du recueil arabe de *Calila et Dimna*.

Tous les genres, caractérisés par l'exhibition dramatique, la satire, le rire, qui ont été présentés dans ce chapitre ont peut-être en commun de refléter l'esprit urbain du XIIIe siècle. A l'ordre hiérarchique du château et de la cour seigneuriale, à l'idéal courtois, ils substituent l'entrelacs des rues, le partage du pouvoir, sa contestation, la peinture désabusée des mœurs, l'exhibition des misères. Non, encore une fois, qu'ils aient eu leurs auteurs et leur public propres. Avec eux, c'est l'univers littéraire tout entier qui change. Les Arrageois, de Jean Bodel à Adam de la Halle, le

Parisien Rutebeuf, le Lillois Jacquemart Giélée, le Troyen anonyme, auteur de *Renart le Contrefait*, portent partout l'esprit de la ville.

CHAPITRE VIII

L'allégorie

L'allégorie médiévale : rhétorique et exégèse

L'allégorie est un élément essentiel de la littérature et, plus fondamentalement, de la pensée médiévales. Dans le domaine des lettres françaises, elle trouve son expression la plus achevée au cœur du XIIIe siècle avec le *Roman de la Rose*, dont le retentissement sera immense et durable. Elle n'exerce plus sur nous la même séduction. Nous la taxons volontiers de pauvreté et de monotonie. C'est que nous la comprenons mal, marqués comme nous le sommes par la distinction entre le symbole et elle, qui s'exerce à son détriment. Or cette distinction ne correspond nullement aux catégories médiévales. Elle voit le jour au XVIIIe siècle seulement et trouve alors sous la plume de Goethe sa formulation la plus célèbre : « Un poète qui cherche le particulier pour illustrer le général est très différent d'un poète qui conçoit le général dans le particulier. La première manière résulte de l'allégorie. » Cette observation, profonde en elle-même, trouve difficilement une application dans le monde médiéval, qui n'oppose pas comme nous le faisons le concret et l'abstrait, le particulier et le général. La seule distinction que connaît le Moyen Age est celle qui réserve le mot *symbole* au seul domaine de la théologie

— où il désigne chez Jean Scot une espèce de l'allégorie — tandis que le mot *allégorie*, tout en appartenant au vocabulaire de l'exégèse, doit à l'emploi qu'en fait la rhétorique de pénétrer le champ littéraire. Il faut donc, avant d'aborder la littérature allégorique du Moyen Age, oublier nos notions modernes touchant l'allégorie.

Il existe dans l'Antiquité deux définitions de l'allégorie. L'une, qui relève strictement de la rhétorique, est celle d'Aristote et plus tard de Quintilien : l'allégorie est une métaphore prolongée. L'autre, plus générale, est celle que retiendra généralement le Moyen Age : l'allégorie est un trope dans lequel à partir d'une chose on en comprend une autre, ou encore : un trope par lequel on signifie autre chose que ce que l'on dit. C'est la définition d'Héraclite du Pont, reprise par saint Augustin, par Isidore de Séville, par Bède le Vénérable et par bien d'autres. Plus que la première, purement grammaticale, elle est sensible à la valeur herméneutique de l'allégorie. Elle s'accorde ainsi avec son utilisation première au Moyen Age comme méthode essentielle de l'exégèse.

Chercher dans l'Ecriture sainte un sens second est une démarche à laquelle tout invite : les paraboles du Christ, l'interprétation qu'il donne lui-même de celle du semeur, l'invitation, constante dans le Nouveau Testament, à préférer l'esprit à la lettre, la tendance naturelle du christianisme à voir dans tous les textes de l'Ancien Testament et dans l'histoire entière du peuple hébreu l'annonce prophétique ou la représentation anticipée de la venue du Christ et de la Rédemption. Dès l'époque patristique, avec Origène, saint Jérôme, saint Augustin, cette recherche du sens second a été formalisée de façon à constituer le noyau de la démarche exégétique. On considère à partir de ce moment que chaque passage de l'Ecriture possède quatre sens : un sens littéral ; un sens allégorique ou spirituel ; un sens tropologique ou moral ; un sens anagogique, en rapport avec l'eschatologie. Au Moyen Age, on se contentera souvent des trois premiers, le sens anagogique tendant à se confondre avec le sens allégorique. Les sermons, les commentaires universitaires de la Bible fondent bien souvent leur plan sur l'élucidation successive de ces trois sens, tout en traitant parfois le sens littéral et l'exégèse historique avec condescendance, voire méfiance.

Les deux autres sens, qui sont tous deux des sens seconds, des sens allégoriques dans une acception large du terme, sont privilégiés.

Ainsi, du maître en théologie au simple fidèle qui, semaine après semaine, écoute l'homélie dominicale, les hommes du Moyen Age sont habitués à toujours chercher derrière la lettre ou derrière l'apparence un sens second. L'homme est créé à l'image de Dieu, la cosmologie tout entière est faite de correspondances, le macrocosme — l'univers — se reflétant dans le microcosme — l'homme, comme l'explique, par exemple, au XIIe siècle Bernard Silvestre dans son *De mundi universitate*. Non seulement les textes (*allegoria in verbis*), mais encore les faits (*allegoria in factis*) appellent une interprétation allégorique. On prête même un sens second, spirituel, renvoyant de façon prophétique à la Révélation aux œuvres de certains auteurs païens. Pour illustrer le sens du mot *allegoria*, Isidore de Séville propose deux exemples d'exégèse allégorique appliquée à Virgile. En Italie du Nord, vers 970, un grammairien nommé Vilgardo pousse ce principe jusqu'à sombrer dans l'hérésie. Mais nul ne reprochera à Bernard Silvestre son commentaire allégorique de l'*Enéide*.

Il ne faut donc pas s'étonner que le Moyen Age ne se soit pas contenté d'interpréter l'Ecriture, le monde et la littérature selon l'allégorie, mais qu'il ait aussi produit en abondance des œuvres littéraires destinées à être lues en fonction de leur sens second.

Allégorie et personnifications

L'Antiquité offrait de nombreux exemples de personnifications, qui ne sont pas le tout du traitement littéraire de l'allégorie, mais qui y jouent un rôle essentiel. Les divinités mêmes du paganisme sont souvent des personnifications de réalités concrètes ou de notions abstraites. Et chez Homère déjà, leurs combats autour du héros sont parfois bien près d'être le reflet du trouble intérieur qui l'agite. Toutefois, même beaucoup plus tard, chez Virgile ou chez Stace, il est bien difficile d'interpréter comme de purs ornements littéraires des abstractions personnifiées, pourtant nombreuses, dès lors que la religion leur prête une réalité. Mais à la fin du IVe siècle, chez Claudien, le dernier grand poète païen, ces abstractions ne sont plus rien d'autre que les acteurs d'une psychomachie, cette « guerre intestine » que se livrent dans l'âme les vertus et les vices. *Psychomachie*, c'est le titre même de l'œuvre, à peu près contemporaine, du chrétien Prudence : on y assiste, selon un schéma promis à un riche avenir, au combat de Foi contre Idolâtrie, de Chasteté contre *Libido*, d'Humilité contre Orgueil, etc. Enfin l'ouvrage du païen Martianus Capella, les *Noces de Mercure et de la Philologie*, qui connaîtra un immense succès au Moyen Age, repose tout entier sur la mise en scène de personnifications. Au moment d'épouser Mercure, Philologie, parée par les soins de sa mère *Phronesis* (la Sagesse), monte au ciel, portée par *Labor* et *Amor*, et reçoit en cadeau de noces les sept « arts libéraux » personnifiés. On sait que ces derniers (Grammaire, Rhétorique, Dialectique, Arithmétique, Géométrie, Astronomie et Musique) constituent la base de l'enseignement au Moyen Age ; l'ouvrage de Martianus Capella a servi de manuel dans les écoles jusqu'au XIIe siècle.

Cette époque d'extrême activité intellectuelle et de redécouverte de la philosophie, voit fleurir dans le domaine de la latinité plusieurs ouvrages dont les ambitions spéculatives s'expriment à travers un argument concret fondé sur la mise en scène d'abstractions personnifiées. Vers 1150, le *De mundi universitate* ou *Cosmographia* de Bernard Silvestre, déjà mentionné, prétend rendre compte de la Création du monde et de l'homme sur le modèle de la cosmogonie platonicienne du *Timée* et de ses commentaires. Cette création est l'œuvre de *Noys* (la pensée divine) et de *Natura*, qui, après le « macrocosme », veut créer le « microcosme » (l'homme) en suivant les conseils de Bien et avec l'aide de Physique. Entre 1160 et 1180, Alain de Lille écrit le *De planctu Naturae* et l'*Anticlaudianus*. Dans le premier ouvrage, Nature se plaint que l'homme, fait à l'image du macrocosme, lui soit rebelle, en particulier dans le domaine de l'amour. Le second doit son titre au fait qu'il entend faire le portrait de l'homme idéal en réponse à celui de l'homme diabolique présenté par Claudien dans son *In Rufinum*. Il montre Nature désireuse de créer, avec l'assistance des Vertus, un homme parfait. *Prudentia* va demander l'aide de Dieu, sur un char construit par les sept Arts libéraux et tiré par les cinq Sens dirigés par Raison. Contemplant Dieu dans le miroir que lui tend Foi, elle obtient de lui qu'il fasse l'âme humaine sur le modèle de sa *Noys* et qu'il la lui confie. Nature fabrique le corps, Concorde l'unit à l'âme, et les Vices qui veulent détruire l'homme nouveau sont vaincus par les Vertus. Dans un registre beaucoup moins ambitieux, l'*Architrenius* de Jean de Hanville (1184) relate le voyage du héros pour aller trouver Nature à travers des lieux allégoriques (palais de Vénus, montagne de l'Ambition, etc.), mais aussi réels, comme les écoles et les tavernes de Paris.

Au début du XIIIe siècle, la mode du poème allégorique se répand en français. Ces ouvrages ne poursuivent pas la réflexion sur l'homme et la nature qui nourrit leurs prédécesseurs en latin — ce sera l'originalité de Jean de Meun d'y revenir dans la seconde partie du *Roman de la Rose*. Leur tonalité est purement moralisatrice. Vers 1215, le *Songe d'Enfer* de Raoul de Houdenc est le premier poème français à présenter l'argument allégorique comme un songe du narrateur, convention dont le succès sera considérable. Le sujet même traité par Raoul connaîtra une grande vogue : Voies d'Enfer et Voies de Paradis sont nombreuses pendant tout le XIIIe siècle et au-delà. Malgré l'abondance des personnifications, le *Roman de Carité* et le *Roman de Miserere* du Reclus de Molliens (vers 1220-1230) n'offrent pas une mise en œuvre de l'allégorie aussi élaborée. En revanche, le *Tournoiement Antéchrist* d'Huon de Méry, peut-être un peu postérieur à la première partie du *Roman de la Rose* (1236 ?), n'est pas seulement le récit d'une psychomachie et présente plusieurs originalités : une entrée en matière arthurienne (le narrateur provoque la venue d'un envoyé de l'Antéchrist en renversant de l'eau sur la margelle de la fontaine de Barenton, comme chez Wace et chez Chrétien) ; une réflexion, déjà présente chez Alain de Lille, sur le bon et le mauvais amour ; un débat de casuistique amoureuse ; enfin, une coloration autobiographique appuyée. Le narrateur ne se contente pas d'assister au combat des Vertus contre les Vices ; il y est blessé par une flèche que Vénus décochait à l'intention de Chasteté et, conséquence de cette blessure, finira ses jours en religion.

Tous ces poèmes, d'ailleurs, se présentent comme une expérience, une vision ou un songe du narrateur. Ils se situent donc tout à fait dans la perspective de la mise en scène du moi qui, on l'a vu dans le chapitre précédent, définit, avec le *dit*, l'orientation nouvelle de la poésie du XIIIe siècle. Ils sont prêts à transformer la peinture générale des mouvements de l'âme qu'est la psychomachie en aveu particulier d'une expérience individuelle unique. Cette tendance sera celle de la poésie allégorique jusqu'à la fin du Moyen Age. Mais, en ce XIIIe siècle, une œuvre hors du commun, le *Roman de la Rose*, marque de façon définitive et profonde toute la littérature allégorique, en même temps qu'elle transpose complètement pour la première fois le modèle de l'allégorie chrétienne dans le domaine profane, amoureux et courtois.

Le Roman de la Rose

Le *Roman de la Rose* est un poème de plus de vingt-deux mille octosyllabes, commencé vers 1230 par Guillaume de Lorris, qui s'interrompt au bout de quatre mille vers, et achevé par Jean de Meun vers 1270. Il raconte, sous la forme d'un songe allégorique, la conquête par le narrateur de la rose qui représente la jeune fille aimée. Le narrateur commence en affirmant que, contrairement à l'opinion commune, il ne croit pas que les songes soient mensonges, car il voit aujourd'hui se réaliser un rêve qu'il a fait il y a cinq ans et dont il offre le récit à la dame de ses pensées en espérant qu'elle le prendra en gré. Dans ce rêve, il se levait par un matin de mai et entrait dans le verger de Deduit, sur lequel règne Amour entouré des vertus dont la pratique lui est favorable. Dans la fontaine où jadis se noya Narcisse, il voit le reflet d'un buisson de roses, s'en approche, a le regard attiré par un bouton de rose particulièrement charmant. A ce moment, Amour lui décoche une flèche qui, entrant par l'œil, l'atteint au cœur. Il est désormais amoureux de la rose et prisonnier d'Amour qu'il promet de servir. Malgré les remontrances de Raison, il entreprend, en suivant les conseils d'Ami, de faire la conquête de la rose, avec l'aide de Bel-Accueil et en dépit de Danger, Jalousie, Male-Bouche, etc. Il obtient un baiser, mais Jalousie, alertée, construit un château où Bel-Accueil est enfermé. Le poème de Guillaume de Lorris s'interrompt à ce moment, au milieu des lamentations de l'amant et Jean de Meun prend le relais. Après quelques péripéties nouvelles, comme l'intervention de l'hypocrite Faux-Semblant, en froc de dominicain, et la corruption de la vieille duègne qui garde Bel-Accueil, après surtout maintes digressions et maints discours, maints développements polémiques, maintes considérations touchant les plus grandes questions philosophiques abordées par un biais inattendu et dans un style allègre, il ne faudra rien de moins que l'intervention de Nature elle-même, secondée par son chapelain Genius — personnage emprunté à Bernard Silvestre et à Alain de Lille —, pour que le château soit pris par l'armée d'Amour et que le narrateur puisse enfin, avec une précision indécente, déflorer la rose avant de s'éveiller.

L'œuvre pose tout d'abord un certain nombre de questions liées à la présence des deux auteurs. Nous ne connaissons le premier qu'à travers le second. Rien dans la première partie elle-même ne permet d'en identifier l'auteur ou d'en préciser la date. Mais dans la seconde partie, Jean de Meun fait dire à Amour, qui invite ses hommes à attaquer le château de Jalousie, qu'il est juste d'aider Guillaume de Lorris dans sa quête amoureuse. Il nomme ainsi son prédécesseur en même temps qu'il en fait le personnage du poème poursuivi par ses soins — loin de le supplanter dans ce rôle (v. 10496-10500). Amour poursuit sous la forme d'une prophétie — puisque, dans l'argument du roman, il est un personnage dans le rêve du narrateur, identifié à Guillaume de Lorris — en annonçant que ce dernier consacrera un roman à son aventure. Il cite alors les vers 4023-4028, en spécifiant que ce sont les derniers composés par Guillaume, dont il laisse entendre qu'il est mort depuis. Et il ajoute :

Puis vendra Johans Chopinel,	*Puis viendra Jean Chopinel,*
au cuer jolif, au cors inel,	*au cœur joyeux, au corps agile,*
qui nestra sur Laire a Meün.	*qui naîtra à Meun-sur-Loire.*
(v. 10535-10537)	

Ce Jean Chopinel, ce Jean de Meun, qui se présente ainsi lui-même par la voix d'Amour, prendra, nous dit-il, la suite du roman plus de quarante ans après Guillaume. Il ne nous est au demeurant pas inconnu. C'est un clerc parisien qui a traduit quelques ouvrages latins. A la fin des années 1260, il paraît succéder à Rutebeuf comme polémiste attitré des maîtres séculiers de l'Université contre les Ordres mendiants. La présence d'allusions à l'actualité dans son *Roman de la Rose* permet de le dater des alentours de 1270. S'il a écrit « plus de quarante ans » après Guillaume, cela placerait le premier *Roman de la Rose* dans les années 1225-1230. Mais faut-il prendre cette indication à la lettre ? « Quarante ans » est une durée à valeur symbolique qui peut représenter n'importe quelle longue période de temps : les Hébreux ont passé quarante ans au désert. Nous ne sommes donc guère avancés touchant Guillaume de Lorris. On pourrait même soupçonner Jean de Meun de l'avoir inventé si quelques manuscrits ne contenaient pas la première partie du roman seule, ou complétée par une suite étrangère au poème de Jean de Meun.

Les deux poètes ont des perspectives, des intérêts, une tournure d'esprit, un ton tout différents, au point que Jean de Meun met probablement quelque malice à détourner l'œuvre de son prédécesseur sous le couvert de la fidélité. Guillaume de Lorris est un poète courtois. Dans sa littéralité, la trame de son roman paraît comme le développement narratif des strophes printanières de la poésie lyrique. Le service fidèle que l'amant, prisonnier d'Amour, promet à son vainqueur selon les règles chevaleresques ; les étapes de la conquête amoureuse ; les réticences et les obstacles qu'elle rencontre ; les qualités de patience, de discrétion, de soumission, de respect, d'élégance qu'elle suppose : tout est conforme à l'idéal de la courtoisie. D'autre part, le sens allégorique, la relation du signifiant et du signifié sont élaborés de façon très cohérente, de même que l'articulation délicate, dans le prologue, entre la conscience du rêveur, celle du poète, ses réminiscences, ses espoirs ; entre le temps du rêve, la saison et l'heure du jour dans le rêve, le temps du souvenir, le temps de l'écriture, le temps, suggéré, de la maturation de l'amour réel : ce rêve fait quand le narrateur avait vingt ans, âge auquel Amour « prélève un droit de passage sur les jeunes gens » (v. 21-23), voilà qu'il se le rappelle cinq ans après, au moment où la découverte de l'amour réel vient éclairer le sens de l'amour rêvé. Il y a aussi chez Guillaume de Lorris la volonté d'écrire un art d'aimer. Il se souvient d'Ovide, mais il se souvient sans doute aussi de la coloration didactique habituelle à la poésie allégorique. Si on demande, dit-il, le titre du roman qu'il entreprend :

Ce est li *Romanz de la Rose*, ou l'art d'Amors est tote enclose. (v. 36-37)	*C'est le* Roman de la Rose *ou l'art* *d'Amour est enclos tout entier*

Un art d'aimer : c'est aussi de cette façon que le définit Jean de Meun par la voix d'Amour, mais en des termes différents :

... tretuit cil qui ont a vivre devroient apeler ce livre le *Miroër aus Amoreus*. (v. 10619-10621)	... *tous les hommes à venir* *devraient appeler ce livre* *le* Miroir des amoureux.

Un miroir, on l'a dit plus haut, c'est une somme, une encyclopédie. Jean de Meun est un homme de son temps : il a le goût d'un savoir totalisateur. L'argument narratif et la construction allégorique qu'il hérite de son prédécesseur, et qu'il traite avec quelque désinvolture, sont pour lui l'occasion de parler de tout, en un désordre qui, on le verra, n'est qu'apparent. On ne trouve pas seulement dans son poème de très longues digressions, enchâssées parfois les unes dans les autres, qui donnent la parole à un mari jaloux ou à une vieille entremetteuse donnant des conseils de séduction. Il y introduit aussi des exposés scientifiques et philosophiques — par exemple sur la cosmologie, le cours des astres, la question de savoir s'ils influent sur le destin des hommes —, des perfidies polémiques — sur l'hypocrisie des Ordres mendiants —, l'exposé et l'interprétation de mythes divers (Fortune, Adonis, Pygmalion, l'Age d'or), des exemples empruntés à l'actualité, des développements ou des réflexions sur des questions débattues à son époque ou qui le préoccupent : la querelle des universaux (portant sur la nature des idées générales et la nécessité ou l'arbitraire des mots au regard de leur signification) ; la nature et la valeur des femmes, avec des exemples antiques et modernes, de Lucrèce à Héloïse dont Jean de Meun a traduit la correspondance avec Abélard ; l'apparition de la propriété et des hiérarchies sociales, qui a consacré la disparition de l'Age d'or ; et, bien entendu, la nature et les lois de l'amour.

Sur ce dernier point, ses positions — ou plutôt celles qu'il prête à ses personnages, car jamais il ne s'engage en son propre nom — ne sont nullement celles de la courtoisie : il faut obéir en tout à la nature et satisfaire l'instinct sexuel, gage de fécondité, qu'elle a placé en nous. La fidélité est un leurre : Nature n'a pas créé Robin pour la seule Marion ni Marion pour le seul Robin, mais « toutes pour tous et tous pour toutes ». Signe de cette rupture avec les valeurs qui sont celles de Guillaume de Lorris, la rose, qui chez ce dernier représente la femme aimée, ne désigne plus chez Jean de Meun que son sexe, tandis que la jeune fille tend à se confondre avec Bel-Accueil, qui, dans le système mis en place par Guillaume de Lorris, ne représente que la part d'elle-même favorable à l'amant. Amour, tout-puissant chez Guillaume, est ainsi soumis chez Jean de Meun à Nature et à Raison, dans une apologie de l'hédonisme qui prétend se fonder sur l'ordre divin, confondu avec celui de la nature.

Par l'ironie, par la subversion, Jean de Meun conduit ainsi l'œuvre de son prédécesseur là où elle ne voulait pas aller. L'apparente confusion de son poème dissimule une sorte de progression dialectique rigoureuse : après que tous les personnages — Ami, la Vieille, Faux Semblant — ont fait apparaître, directement, ou de façon détournée, ou par antiphrase, le caractère factice de l'amour courtois et son hypocrisie essentielle, Nature et Genius peuvent prêcher la vérité de l'amour selon la nature.

L'aisance élégante de Guillaume de Lorris, l'habileté avec laquelle il garde au signifiant toute sa valeur et toute sa séduction concrète sans brouiller pour autant le sens second ; la puissance intellectuelle, la profondeur, la verve de Jean de Meun, la densité de son style : la chance du

Roman de la Rose est d'avoir eu deux auteurs à la fois aussi différents et aussi remarquables.

L'influence du Roman de la Rose

Le *Roman de la Rose* connaîtra un succès prodigieux. Nous en connaissons plus de deux cent cinquante manuscrits, alors que l'immense majorité des œuvres médiévales en langue vulgaire est conservée dans moins de dix manuscrits, et pour beaucoup d'entre elles dans un ou deux seulement. L'esprit polémique et les positions provocantes de Jean de Meun, son antiféminisme apparent, susciteront au tournant du XIVe et du XVe siècle une « querelle du *Roman de la Rose* », dans laquelle interviendront Jean Gerson, Christine de Pizan, Jean de Montreuil, Gontier et Pierre Col. En dehors de cet intérêt explicite et intellectuel pour les questions débattues par Jean de Meun, l'allégorie s'impose désormais, et pour une grande part à son imitation, comme mode de pensée et d'expression poétique. Le songe allégorique, en particulier, devient une convention habituelle de la poésie, personnelle ou didactique. Le jeu entre le caractère particulier de ce qui se prétend une confidence autobiographique et la généralité de l'itinéraire amoureux nourrira, on le verra plus loin, la poésie du XIVe siècle. Les personnages de Guillaume de Lorris, surtout ceux où s'incarnent les dispositions diverses de la jeune fille (Bel-Accueil, Danger, Refus, Honte, Peur), deviennent le bien commun des poètes et nourrissent les lieux communs de la poésie. Le *Livre du Cuer d'Amours espris* du roi René d'Anjou s'inspire explicitement, et par moments de très près, du *Roman de la Rose*. Dans la poésie de Charles d'Orléans, l'allégorie est constamment esquissée, avec une brièveté fugitive, pour unir les états d'âme aux petites choses concrètes de la vie.

L'allégorie médiévale n'a donc pas la pauvreté redondante que nous lui prêtons. Elle a une valeur herméneutique par sa capacité à mettre en lumière les correspondances qui structurent l'univers et à exprimer des réalités psychiques trop obscures ou trop brûlantes pour pouvoir aisément être désignées ou analysées directement. Quand la pensée moderne, plus sensible aux distinctions et aux oppositions qu'aux correspondances, plus attentive à la causalité qu'au sens, lui refusera cette valeur herméneutique, elle se desséchera, cantonnée dans le rôle d'ornement littéraire.

QUATRIÈME PARTIE

La fin du Moyen Age

Leux derniers siècles du Moyen Age sont toujours considérés comme un monde à part et comme un monde finissant. On parle de « déclin » ou d'« automne » du Moyen Age : l'ouvrage illustre de J. Huizinga a été successivement publié en français sous ces deux titres. Il est vrai que cette époque est marquée par des crises politiques, sociales, religieuses particulièrement graves : la guerre de Cent Ans ; les révoltes dans les villes de Flandres, à Paris, à Rouen ; la jacquerie en France, la révolte des Travailleurs en Angleterre ; l'effondrement de valeurs féodales incompatibles avec la concentration du pouvoir et la naissance du sentiment national ; le malaise d'une chevalerie inadaptée à l'évolution militaire et sociale ; l'inflation — mal nouveau — et les « mutations de fortune » qu'elle entraîne ; la peste noire, qui dépeuple l'Europe ; les derniers sursauts de la croisade et le désastre de Nicopolis ; le grand schisme d'Occident ; les mouvements religieux annonciateurs de la Réforme — lollards en Angleterre, plus tard hussites en Bohême. On conçoit sans peine que ces crises ont des répercussions dans le domaine culturel entendu au sens large : prophétisme apocalyptique, manifestations dévoyées du sentiment religieux (flagellants, pogroms), théâtralisation sanglante des comportements, goût effréné du luxe, angoisse et débauche. Mais on admet souvent trop aisément que cet ensemble de crises entraîne une décadence de la littérature. En réalité, les lettres peuvent se nourrir des crises autant qu'en pâtir. L'Italie du Quattrocento connaît les mêmes crises que le reste de l'Europe, et elle est en pleine Renaissance. Il ne faut pas appeler des enchaînements de causalités incertaines au secours des lieux communs accrédités plus tard, pour des raisons et dans des circonstances bien particulières, par les poètes de la Renaissance française. Il est vrai, cependant, que la littérature française du XIVe et du XVe siècle s'est, dans plusieurs domaines, engagée dans des voies qui n'ont pas eu d'avenir. Mais ce n'est que la connaissance de cette stérilité future qui nous fait rétrospectivement pressentir un déclin dans des mouvements alors en pleine vigueur. Si le fastueux, le flamboyant monde bourguignon avait triomphé au XVe siècle, l'évolution ultérieure des lettres françaises aurait peut-être été différente et nous porterions sur celles de cette époque un autre regard.

CHAPITRE IX

La poésie au XIVe et au XVe siècle

Les nouvelles règles du jeu lyrique

La poésie de la fin du Moyen Age, que la Renaissance devait tant mépriser, a été le genre littéraire le plus prestigieux de son temps. « A l'époque de Guillaume de Machaut, écrit Daniel Poirion, on peut dire que le lyrisme constitue le noyau dur de la production littéraire. » Il faut dire qu'il s'est gonflé et diversifié. L'extension de la prose, le monopole grandissant qu'elle exerce sur les formes narratives tendent à donner par opposition à toute la production en vers une unité qu'elle n'avait jamais eue. La notion de poésie, dont on a vu l'émergence au XIIIe siècle, recouvre désormais tout ce qui s'écrit en vers. Et le vers, considéré comme plus orné et plus difficile que la prose, est chargé, si l'on peut dire, d'un plus fort coefficient de littérarité. D'où son prestige. A l'inverse, les prosateurs se targuent d'une plus grande vérité, mais se reconnaissent, non sans complaisance, une certaine maladresse. Le véritable homme de lettres devient celui que l'on commence à appeler le poète : le mot apparaît pour la première fois dans un emploi proche de son acception moderne à la fin du XIIIe siècle dans le *Livre du trésor*, une encyclopédie en français du Florentin Brunet Latin. Or le vers, objet de la notion nouvelle de poésie, est associé — implicitement, mais de plus en plus nettement à mesure que chansons de geste et romans en vers se font plus rares jusqu'à n'être plus que des survivances — à l'expression de l'affectivité et à la peinture du moi, qui caractérisent, bien que de façon différente et presque opposée, aussi bien le lyrisme courtois que le dit.

C'est ainsi que la poésie telle qu'elle s'épanouit au XIVe siècle combine l'esthétique du dit et une esthétique proprement lyrique. Le dit offre un cadre à demi narratif et, au moins à son point de départ, conventionnellement autobiographique. Dans ce cadre viennent volontiers s'insérer des pièces lyriques, qui jouent le rôle d'un commentaire affectif et que le recours à des formes fixes replie en même temps sur elles-mêmes. Que le cadre du dit s'efface, et les pièces lyriques, restées seules, cherchent à entretenir, par leur organisation en recueil, l'illusion d'une continuité, voire d'une narration. Ainsi dans son *Voir dit* (« Dit véritable »), Guillaume de Machaut raconte comment, poète vieillissant et illustre, il a reçu une lettre d'une très jeune admiratrice, comment s'est engagée entre eux une correspondance poétique et sentimentale, comment l'amour les a entraînés au-delà de la correspondance. Lettres et poèmes sont insérés dans le dit. Machaut avait déjà usé d'une construction analogue vingt ans plus tôt dans le *Remède de Fortune*. L'*Espinette amoureuse* de Froissart évoque de la même façon les amours de jeunesse du poète, et l'on pourrait ainsi multiplier les exemples. D'un autre côté, les recueils de pièces lyriques ne cherchent pas seulement une unité en recourant à une forme unique (par exemple la ballade) ou en se définissant par un nombre rond de poèmes (*Cent ballades* de Christine de Pizan ou de Jean le Senéchal, *Cinquante ballades* en français de John Gower) ; ils supposent que chaque poème est une étape dans une histoire dont le récit est sous-entendu, mais que le commentaire lyrique permet de soupçonner ou de reconstituer : ainsi la *Louange des dames* de Machaut, les *Cent ballades d'amant et de dame* de Christine de Pizan, ou même, on le verra, les poèmes de Charles d'Orléans tels que les dispose le manuscrit autographe du poète.

Les poèmes lyriques eux-mêmes ont abandonné la forme à la fois longue et libre de la *canso*. Celle-ci réunissait l'histoire et le cri de l'amour. La première est désormais prise en charge par le dit ou par le recueil en tant que composition. Au lyrisme proprement dit reste le cri qui s'exprime dans des poèmes à formes fixes, lovés autour de leur refrain.

Cet enroulement est si fortement ressenti que le nom même du rondeau n'est plus rapporté à la ronde, à la danse en rond qui lui avait peut-être donné son nom et qui avait défini sa forme, mais à cette forme même, sentie comme une forme circulaire, une forme ronde, une forme, écrit-on, « qui s'enroule sur elle-même comme un cercle, commençant et se terminant de la même façon ». C'est dire que les poètes exploitent désormais systématiquement ses traits marquants : le contraste des voix entre le refrain et le couplet, les effets d'écho, le discontinu, l'ébauché. Guillaume de Machaut, sensible à l'importance du refrain, a tendance à le privilégier au détriment du couplet, de manière qu'il soit attendu avec plus d'impatience et que son impact soit plus fort, succédant aux vers de remplissage d'un couplet banal. D'autres mettent en évidence le mouvement circulaire du rondeau grâce à un texte d'un extrême dépouillement, de façon à montrer que ce mouvement à lui seul suffit à donner une épaisseur poétique à un texte transparent, de façon aussi à créer l'illusion de la simplicité, de la raideur mélancolique que l'on prêtera plus tard aux chansons définies comme populaires. Cette manière est celle de certains rondeaux d'Eustache Deschamps et de Christine de Pizan et contraste fortement avec le style habituel de ces poètes. Cependant, il arrive au rondeau de déborder un peu le schéma très bref qui est au départ le sien (ABaBabAB). Il peut s'étendre sur plusieurs strophes. Refrain et couplet peuvent être allongés. Enfin, son refrain, inséré ou final, peut être ramené à un seul vers : c'est, semble-t-il, souvent le cas chez Charles d'Orléans, pour autant que la tradition manuscrite, qui systématiquement ne donne à la reprise que les premiers mots du refrain, autorise la reconstitution. Cette façon de faire suggère d'ailleurs un nouveau mode de lecture, parcourant le poème dans sa nouveauté sans s'astreindre à écouter ses répétitions, mais en laissant seulement la porte ouverte à leur possible retour. Aussi bien, le rondeau survivra longtemps encore avec un refrain réduit à un hémistiche, ou même à un seul mot.

D'autres genres offrent plus aisément et plus naturellement l'extension qu'appelle une rhétorique flamboyante. Le virelai ne remplit qu'à demi cette exigence. Ses strophes sont composées de deux parties dont la seconde reproduit le schéma des rimes du refrain répété à la suite de chacune d'elles, après avoir servi de prélude. A ceci près qu'il n'a pas recours au refrain inséré, ce genre est donc assez proche du rondeau. Il fait au refrain une large place, d'autant plus large que, la structure de la seconde partie de la strophe étant la même que celle du refrain, ce dernier doit être étoffé si l'on veut que la strophe le soit aussi. Toute réduction de la partie répétitive du poème se paie donc, en principe, par une réduction égale de la partie discursive. Et pourtant les poètes cherchent souvent à en faire le support d'une analyse développée des sentiments. Deschamps et Christine de Pizan, dont les rondeaux sont si différents, le font servir à une poésie didactique ou simplement raisonneuse qui lui convient mal. Là encore, on en viendra à réduire la reprise du refrain, devenu une gêne.

On ne s'étonne donc pas, dans ces conditions, de voir le succès de formes qui font peu de place au refrain, comme la ballade, ou même qui ne lui en font aucune, comme le chant royal. A la fin de chacune des trois strophes et de l'envoi de la ballade, l'unique vers refrain séduit l'esprit comme une citation bien trouvée, chaque fois adaptée de façon ingénieuse au contexte, plus qu'il n'émeut les sens par le vertige des rythmes et des échos. En même temps, la régularité du mètre et sa longueur, puisque le décasyllabe est le vers le plus employé par la ballade et le chant royal, permettent au discours poétique de se déployer et de mettre en évidence ses articulations. On comprend aussi que les recueils de ballades soient particulièrement bien placés pour impliquer une trame narrative qui serait ailleurs supportée par un dit.

Un dernier trait, mais essentiel, marque le lyrisme de la fin du Moyen Age : la séparation d'avec la musique. Guillaume de Machaut, qui dans le *Voir dit* prête à sa jeune admiratrice la capacité de rimer, mais non de

« noter », est le dernier à être à la fois musicien et poète. Son « neveu » Eustache Deschamps n'est plus capable de composer de la musique, et il la dissocie de la poésie dans l'*Art de dictier et de faire chansons* (1392), premier traité de versification française. Les formes fixes, définies à l'origine aussi bien musicalement que métriquement et liées ainsi à la danse, comme les noms de rondeau ou de ballade le disent, tirent paradoxalement de n'être plus chantées une importance nouvelle. L'attention portée à la métrique et aux virtuosités qu'elle permet en est augmentée, comme le montrera au XVe siècle l'œuvre des « grands rhétoriqueurs ». A l'inverse, la *canso* devient chanson : deux somptueux manuscrits du XVe siècle ont recueilli des chansons d'allure populaire, dont beaucoup conservent, en la simplifiant, la forme qui avait été celle du premier lyrisme courtois.

Guillaume de Machaut et ses héritiers

La figure de Guillaume de Machaut domine la poésie du XIVe siècle. Après des études menées au moins jusqu'à la maîtrise ès arts, ce Champenois, né vers 1300, entre vers 1323 au service du roi de Bohême Jean de Luxembourg, qui obtient pour lui du pape en 1337 un canonicat à Reims. Il quitte peu après son protecteur pour sa fille, Bonne de Luxembourg, femme de Jean, duc de Normandie — le futur roi de France Jean II le Bon. A la mort de Bonne en 1349, il s'attache au roi de Navarre Charles d'Evreux, dit plus tard « le Mauvais ». Après 1357 il est au service de Jean, duc de Berry, tout en entretenant des rapports étroits avec son frère aîné Charles, duc de Normandie, puis roi de France (Charles V), à la cour duquel il séjourne et qu'il reçoit dans sa maison de Reims, où il meurt en avril 1377.

Cette carrière est en elle-même significative de l'importance du mécénat à la fin du Moyen Age. Les cours imposent leurs modes et s'attachent les écrivains les plus illustres. Au XVe siècle, ceux de la cour de Bourgogne seront de véritables fonctionnaires. L'exercice, la nature même de la poésie passent par ces relations du poète et du prince, comme le dit le titre de l'ouvrage fondamental de Daniel Poirion (*Le Poète et le prince. L'Evolution du lyrisme courtois de Guillaume de Machaut à Charles d'Orléans*, Paris, 1965).

Nous n'avons pas à nous occuper ici de l'importante œuvre musicale de Machaut, où figurent entre autres sa fameuse *Messe* et une vingtaine de motets. Son œuvre littéraire comprend quelque quatre cents pièces lyriques, une douzaine de dits, dont le *Voir dit* (1364) est le dernier et de très loin le plus long, et enfin un long poème historique, la *Prise d'Alexandrie*, consacrée à la vie du roi de Chypre Pierre Ier de Lusignan. Vers la fin de sa vie, il compose un *Prologue* à l'ensemble de son œuvre, qui livre un art poétique et un peu un art de vivre en poésie.

A l'inspiration courtoise, au cadre et à l'imagerie allégoriques hérités du *Roman de la Rose* (par exemple dans la *Fontaine amoureuse*), à la théâtralisation du moi qui fonde le dit, Machaut ajoute des intérêts et des accents propres à son époque, que l'on retrouvera plus nettement encore chez ses successeurs : l'attention au temps, aux dates, au vieillissement ; une relation nouvelle à la réalité. Le poète qui, dans l'introduction du débat de casuistique amoureuse qu'est le *Jugement du roi de Navarre*, évoque les calamités de son temps — la peste, les flagellants, le massacre des juifs ; le poète qui, dans le *Confort d'Ami*, adresse ses consolations à ce même roi de Navarre, au moment où il languit dans les prisons du roi de France ; le poète qui fonde le charme et le drame du *Voir dit* sur l'écart des âges, le temps et les étapes de l'aventure : ce poète ouvre la poésie à un dialogue longtemps éludé avec la réalité, sans pour autant la contraindre à refléter cette réalité et en affirmant fortement le caractère impérieux et dénué de justifications extérieures de la rhétorique et de la versification.

Ces traits, en particulier le jeu sur le temps à travers ses diverses valeurs et l'attention aux choses de la vie, sont beaucoup plus accusés chez les poètes de la génération suivante qui se mettent à l'école de Machaut, Jean Froissart et Eustache Deschamps. Du premier (1337 ? - après 1404), on parlera surtout plus loin en tant que chroniqueur. On peut noter que sa carrière d'homme de lettres reconnu et fêté, protégé par des mécènes successifs et prébendé d'un canonicat par leurs soins, n'est pas sans ressemblance avec celle de Machaut. Le second, son contemporain (1346 - 1406 ou 1407), Champenois comme Machaut dont une tradition du xve siècle fait son oncle, interrompt des études de droit pour entrer au service du roi comme messager ; il occupera diverses charges administratives, dont celle de bailli de Valois, mais participera surtout à la vie joyeuse et frivole de la cour de Charles VI aux côtés du frère du roi, le duc Louis d'Orléans, à la personne duquel il est attaché dès sa naissance.

Tous deux avouent leur dette à l'égard de Machaut. Son univers allégorique et les personnages dont il le peuple avec prédilection (Fortune) se retrouvent dans leur œuvre, en particulier dans les grands poèmes de Froissart qui donnent à l'allégorie une coloration autobiographique (*L'Espinette amoureuse*, *Le Joli Buisson de jeunesse*) ou qui se veulent un « confort d'ami » (*La Prison amoureuse*). Deschamps déplore dans une ballade célèbre la mort de « Machaut, le noble rhétorique ». Plusieurs dits de Froissart sont directement inspirés par ceux du chanoine de Reims. Mais plus que lui, Froissart et Deschamps s'entendent à écrire une poésie du quotidien. Froissart imagine un débat entre son cheval et son chien pour savoir lequel souffre le plus des voyages auxquels les contraint leur maître ; dans le *Dit du florin* il évoque son séjour à la cour du comte de Foix Gaston Phébus, la somme qu'il a reçue de ce prince pour lui avoir lu son roman *Méliador*, et comment cette somme lui a été dérobée pendant le voyage de retour. Mais l'œuvre poétique énorme et dispersée de Deschamps se nourrit beaucoup plus encore de l'écume des jours : une ballade sur la calvitie, inconvénient que le poète partage avec plusieurs de ses nobles amis ; une autre pour raconter une nuit de ribote passée par les oncles du roi et quelques-uns des plus grands seigneurs dans les cabarets mal famés de la capitale. Ailleurs le poète se plaint qu'on ne lui rend pas les livres qu'il prête ou raconte une équipée canularesque dans Calais occupé par les Anglais. Poésie de circonstance, poésie de circonstances : inclure dans le poème l'énoncé de sa date est chez lui une pratique courante.

A Calais, Deschamps était en compagnie d'Oton de Grandson, alors au service des Anglais, qui, pendant qu'il faisait le pitre, feignait de ne pas le connaître. Ce noble Savoyard au destin tragique, illustre en son temps par son élégance et sa vaillance, est l'un des poètes les plus représentatifs de l'esprit courtois qui jette ses derniers feux en cette fin du XIVe siècle. On le mentionne ici, faute de pouvoir citer tous les poètes, pour sa virtuosité sans effort apparent, la fluidité de sa poésie et son ton élégiaque.

Mais il faut faire une place particulière à Christine de Pizan. Née en 1365, fille de l'astrologue italien de Charles V et venue avec lui en France à l'âge de trois ans, elle se retrouve à vingt-cinq ans, en 1390, veuve avec trois enfants. Elle vivra désormais de sa plume jusqu'à sa mort vers 1430, consciente de ce que sa situation a d'exceptionnel autant que de douloureux, toujours prête à défendre la réputation et la condition des femmes. Son œuvre, très abondante, est variée, car elle est pour l'essentiel de commande. La part de la poésie lyrique y est importante, et la postérité en a volontiers retenu les pièces les plus simples, qui pleurent la disparition d'un mari aimé. Mais l'influence de Machaut et du dit allégorique à prétention autobiographique se fait surtout sentir dans des poèmes comme le *Chemin de long estude* ou comme l'immense *Livre de la mutacion de Fortune*, dont le début offre une allégorie assez surprenante de la vie de Christine et du drame de son veuvage, à la suite duquel, nous dit-elle, elle a changé de sexe et est devenue homme. Les mêmes thèmes (songe, intervention de Nature, confidence autobiographique) se retrouvent en prose dans l'*Avision Christine*. Naturellement, les souvenirs du *Roman de la Rose*, auquel Christine reproche pourtant violemment son antiféminisme, sont très présents.

La tradition courtoise survit encore au début du XVe siècle, par exemple dans les poèmes lyriques d'Alain Chartier (ca. 1385-1430), notaire et secrétaire du dauphin Charles (VII), mais le même poète fait scandale en dénonçant dans la *Belle Dame sans merci* (1424) l'hypocrisie du jeu courtois qui, dans les milieux de cour, n'est plus qu'une apparence. Aussi bien, on verra dans le chapitre suivant que son inspiration est loin d'être tout entière lyrique et amoureuse. Il provoque ainsi un important débat poétique.

Mais le XVe siècle possède, dans le domaine de la poésie lyrique, sa physionomie propre. Il est surtout marqué par deux poètes, Charles d'Orléans et Villon, et, dans sa seconde moitié, par une tendance poétique communément définie de façon contestable comme l'Ecole des Rhétoriqueurs.

Charles d'Orléans

Né en 1394, Charles est le fils de Louis d'Orléans, frère de Charles VI, et de Valentine Visconti. Il a treize ans quand son père est assassiné sur l'ordre de son cousin, le duc de Bourgogne Jean Sans-Peur (1407), vingt et un quand il est fait prisonnier lors de la défaite d'Azincourt en 1415. Il ne sera libéré qu'en 1440. Pendant sa captivité, qu'il occupe à composer des poèmes — quelques-uns en anglais —, il perd sa femme, Bonne d'Armagnac, dont le père avait été dès l'assassinat de Louis d'Orléans, et plus que lui-même, bien jeune à l'époque, le chef du clan anti-bourguignon. Enfin libéré contre une énorme rançon et grâce à l'intervention du duc de Bourgogne Philippe le Bon, il épouse la très jeune Marie de Clèves, qui lui donnera plusieurs enfants, dont le futur roi de France Louis XII, né en 1462. A partir de 1451, il vit généralement retiré dans son château de Blois, écrivant de nouveaux poèmes qu'il transcrit dans le recueil de ses œuvres, copié de sa main vers 1450-1455, à côté des pièces des poètes dont il s'entoure et de celles des visiteurs qui passent par Blois : René d'Anjou, Jean Meschinot, Olivier de la Marche, Georges Chastellain, François Villon. Il meurt le 5 janvier 1465. Au total, une vie qui est passée à côté du grand destin politique qui aurait pu être le sien ; une vie et une œuvre à la fois publiques et secrètes.

La poésie de Charles d'Orléans est, surtout à ses débuts, d'inspiration nettement courtoise, sous l'influence du fidèle Jean de Garancières, chevalier et poète dévoué à la maison d'Orléans. Son œuvre est formée pour l'essentiel de ballades et de rondeaux. Le recueil des ballades est introduit par un poème narratif et allégorique, encore très marqué par le *Roman de la Rose*, la *Retenue d'Amour* (1414), auquel fait pendant plus loin le *Songe en complainte* (1437), annonçant la *Departie d'Amour* du poète vieillissant. Les ballades elles-mêmes s'organisent par moments en suites narratives, évoquant, par exemple, la maladie et la mort de l'aimée. C'est que toute la poésie de Charles d'Orléans est faite de la réflexion du temps sur le moi et de la réflexion du moi sur le temps. Le temps qu'il fait, tel que l'évoquent si volontiers les rondeaux (« Yver, vous n'êtes qu'un vilain... » ; « Le temps a laissié son manteau... » ; « En yver, du feu, du feu, / Et en esté, boire, boire... »). Les dates et les saisons : la Saint-Valentin, le 1er mai. Le temps qui passe et la vieillesse qui vient. La vie qui passe et la captivité qui se prolonge. Les petits plaisirs : « Dîner au bain et souper en bateau ». C'est à la fois une poésie de l'instant et une poésie qui place chaque instant dans la perspective du vieillissement. Une poésie dans laquelle le moi, modelé par le temps, est constamment marqué par la tristesse et par sa conséquence, ou sa tentation, le « nonchaloir ». Une poésie, enfin, où les expressions du langage quotidien (« D'Espoir, et que vous en diroye ? / C'est un beau bailleur de parolles... »), les ritournelles (« Petit mercier, petit panier... »), les proverbes, donnent un sens et une charge d'émotion, tout en en détruisant l'emphase, à une allégorie toujours affleurante, toujours inachevée — la forêt de Longue Attente, le livre de Pensée, Mélancolie, Espoir, Souci, le dialogue des Yeux et du Cœur. Cette poésie du quotidien, du presque rien, du mot qui vous trotte dans la tête, à l'apparente facilité mélancolique et souriante, est surtout sensible dans les rondeaux et caractérise la dernière période du vieux duc, un peu agacé par la prétention pédante des jeunes poètes de la nouvelle école : « Le monde est ennuyé de moy, / Et moy pareillement de lui. »

Villon

Villon semble bien être passé à la cour de Blois. Le manuscrit personnel de Charles d'Orléans contient plusieurs poèmes de lui. Déjà renommé de son temps — son œuvre sera imprimée dès 1489 et Clément Marot en donnera dès 1532 une édition critique —, il n'était donc peut-être pas tout à fait, ou pas seulement, le marginal dont sa poésie comme ses démêlés avec la justice donnent l'image.

De son vrai nom François de Montcorbier, orphelin de père, sans fortune, il doit à la générosité de Guillaume de Villon, chapelain de Saint-Benoît-le-Bétourné, de faire des études à la Faculté des Arts de Paris, qui le reçoit bachelier en 1449, licencié et maître en 1452. Mais à partir de cette date, les seules indications sûres que nous ayons sur lui sont d'origine judiciaire. Le 5 juin 1455, il blesse mortellement un prêtre, Philippe Sermoise, au cours d'une rixe. Il s'enfuit, mais revient à Paris après avoir obtenu, en janvier 1456, des lettres de rémission. La nuit de Noël de la même année, en compagnie de quatre complices, dont deux appartiennent à la bande dite des Coquillards, dont il connaît le jargon, il commet un vol avec effraction au Collège de Navarre, et quitte à nouveau Paris par prudence. C'est sans doute à cette époque qu'il passe à Blois, peut-être aussi à la cour du duc Jean II de Bourbon. Pendant l'été 1461, il est en prison à Meung-sur-Loire, pour une raison inconnue, sur l'ordre de l'évêque d'Orléans Thibaud d'Aussigny : cette expérience particulièrement douloureuse est le point de départ du *Testament*. Libéré le 2 octobre à l'occasion de l'entrée de Louis XI dans la ville, il retourne à Paris. Mais en novembre 1462, il est arrêté pour le vol du Collège de Navarre, révélé entre-temps par un de ses complices, puis relâché après avoir promis de rembourser cent vingt écus. A la fin du même mois, le voilà à nouveau en prison à la suite d'une rixe où un notaire pontifical a été légèrement blessé. Condamné à la pendaison, il fait appel. Le 5 janvier 1463, le Parlement de Paris commue la peine en dix ans de bannissement. Villon quitte à nouveau Paris, et nous perdons alors définitivement sa trace.

En dehors de quelques ballades dans le jargon des Coquillards, d'interprétation difficile, et de quelques poèmes variés, les uns liés à la cour de Blois, les autres à ses démêlés avec la justice, l'œuvre de Villon se compose essentiellement de deux poèmes en huitains d'octosyllabes, le *Lais* et le *Testament*.

Le *Lais* (320 vers) se date lui-même de la Noël 1456, c'est-à-dire de l'époque où fut commis le vol du Collège de Navarre. Prétextant une déception amoureuse, Villon annonce son intention de partir pour Angers et, selon l'usage, lègue ses biens pour le cas où il ne reviendrait pas. En réalité, il lègue des objets qu'il ne possède pas ; quant aux destinataires — des Parisiens appartenant à tous les milieux —, ils sont présentés de façon ironique ou par antiphrase. Entendant la cloche de la Sorbonne sonner l'angélus, il s'interrompt pour prier, tombe dans une demi-inconscience. Quand il en sort, son encre est gelée et sa bougie éteinte : il se déclare alors incapable de finir son poème. Le temps pendant lequel a duré cet état second peut être interprété comme le moment où le vol a été commis : Villon atténuerait ainsi plaisamment sa responsabilité.

Le *Testament* (186 huitains, dans lesquels sont insérés quinze ballades, une double ballade et trois rondeaux, soit en tout 2023 vers) a été composé en 1461-1462, après la captivité de Meung. A partir de cette dure expérience, Villon médite dans une première partie sur sa jeunesse enfuie, sa déchéance physique et morale, sa pauvreté, les souffrances infligées par l'amour, la mort. Cette réflexion est soulignée par des ballades qui viennent interrompre le cours du poèmes (par exemple celle des « dames du temps jadis »). La seconde partie reprend le procédé du *Lais* — non plus au regard d'un éventuel départ, mais au regard d'une mort prochaine —, en l'amplifiant, en le systématisant, en lui donnant plus de précision (dispositions conformes à celles d'un vrai testament touchant la sépulture, les aumônes, etc.). Les ballades insérées dans cette partie du poème constituent autant d'hommages rendus aux légataires, hommages soit sérieux (ballade à sa mère, à Robert d'Estouteville), soit burlesques (ballade à son « amie », à Jean Cotart, etc.).

L'œuvre de Villon n'est pas en elle-même d'une extrême nouveauté. Le genre du poème en forme de testament fictif et parodique existe avant lui. Les thèmes « sérieux » qu'il traite sont des lieux communs de la poésie. Mais la mise en scène du moi, caricaturale, dérisoire et amère, qu'avaient inaugurée les dits du XIIIe siècle, trouve avec lui son expression la plus vigoureuse. Il campe avec une intensité extrême la figure du poète misérable et vicieux, revenu de tout, battant le pavé de la ville, hantant filles perdues et « enfants perdus », mauvais garçons et mauvais lieux, abandonnant « tout aux tavernes et aux filles ». Il mêle avec une extrême audace les tons et les registres, les thèmes, le sérieux apparent et le bouffon, l'angoisse et le rire obscène, les allusions et les sous-entendus. Il subvertit l'amour courtois en en exagérant les poses, en l'amalgamant cyniquement à l'amour vénal, en multipliant les expressions à double sens. Il renouvelle les considérations sur la mort en les appliquant à ceux qui, de la torture au gibet, l'affrontent de la façon la plus douloureuse et la plus dégradante. Une versification habile, fluide et dense, au rythme prenant et aux enjambements audacieux, un sens aigu de la formule et du trait, n'ont pas peu contribué à sa gloire.

Les « grands rhétoriqueurs »

La dénomination de « grands rhétoriqueurs » est impropre : elle repose sur un contresens commis sur deux vers de Guillaume Coquillart. Mais elle est entrée dans l'usage pour désigner une tendance de la poésie de cour du milieu du XVe au début du XVIe siècle. Si le vieux Charles d'Orléans et son entourage restent rebelles à ces nouveautés, on les voit fleurir à la cour de Bretagne, avec Jean Meschinot, à la cour de Bourbon, avec Jean Robertet, et surtout à la cour de Bourgogne, avec, à la suite de Michault Taillevent et de Georges Chastellain, Olivier de la Marche, Pierre Michault, Jean Molinet, Jean Lemaire de Belges. Dans les dernières années du XVe siècle, sous le règne de Charles VIII, la cour de France suivra avec André de La Vigne, Guillaume Cretin, Octovien de Saint-Gelais, Jean Marot.

Tous ces poètes, qui n'ont jamais été réunis en une école, n'en présentent pas moins des traits communs. Ce sont des poètes de cour, employés et rémunérés par le prince, souvent dans des fonctions sans rapport direct avec leur activité poétique. Leur haute conception du service du prince et de l'Etat apparaît dans leur œuvre, qui ne se limite pas à la poésie lyrique ni même au vers. Volontiers moralisateurs, soucieux d'agir sur l'opinion en vue du bien public, ils font à l'amour une place des plus réduites. Dans leurs œuvres et dans leurs traités de versification (*Arts de seconde rhétorique*), ils se réclament volontiers d'Alain Chartier, remarquable par son goût du débat politique comme par les coups qu'il avait portés à l'idéal de l'amour courtois. Renonçant le plus souvent aux poèmes à forme fixe, il écrivent des dits strophiques plus amples, à la versification incroyablement complexe. Leur recherche, en vers et en prose, de la virtuosité technique et de la prouesse verbale manifeste un effort constant pour pousser les possibilités de la langue jusqu'à leurs limites extrêmes. Cet effort, longtemps discrédité par les sarcasmes des poètes de la Pléiade, suscite aujourd'hui un nouvel intérêt.

CHAPITRE X

Les formes de la réflexion : témoigner, juger, savoir

La guerre et l'histoire

Les malheurs des temps, la guerre, les conflits de toutes sortes, ont sans doute leur part dans l'essor que connaît le genre historique à partir du XIVe siècle, particulièrement sous la forme de la chronique, c'est-à-dire du récit d'actualité. Les écrivains se font l'écho de l'actualité, parce que l'actualité les rattrape, parce que nul ne peut lui échapper, parce qu'elle est devenue plus brutale, plus présente et plus pesante, parce qu'elle écrase plus la vie de chacun qu'en d'autres périodes. Mais aussi — car quelle époque ne trouve pas son actualité brûlante ? — l'abondance des chroniques reflète la situation nouvelle de bien des auteurs au service du prince et au service de l'Etat : elle est à ce titre une conséquence indirecte de l'actualité, à travers les mutations entraînées par l'effondrement du système féodal, l'émergence du sentiment national, la concentration du pouvoir entre les mains du prince. L'intérêt qu'ils portent à l'actualité est professionnel et le récit qu'ils en font chargé d'intentions politiques. C'est le cas de ceux qui poursuivent, directement en français désormais, les *Grandes Chroniques de France* : Pierre d'Orgemont, qui relate les règnes de Jean le Bon et de Charles V, est chancelier de France, et il ne se cache pas d'écrire pour la gloire des Valois ; Jean Jouvenel des Ursins, auteur de l'histoire du règne de Charles VI, est le fils de Jean Jouvenel, chargé par le roi de la prévôté des marchands après la révolte des maillotins, et le frère du chancelier Guillaume Jouvenel des Ursins. Mêlés par leurs fonctions à beaucoup d'événements importants, les hérauts se font volontiers chroniqueurs : ainsi le héraut Chandos (héraut du grand capitaine anglais Jean Chandos), auteur vers 1385 d'une *Vie du Prince Noir*, à laquelle répond du côté français, sous la forme plus littéraire de la chanson de geste, la *Vie de Bertrand du Guesclin* de Cuvelier ; le héraut Berry (Gilles Le Bouvier), qui a laissé une *Chronique du roi Charles VII* (1402-1455), dont le début a été utilisé par les *Grandes Chroniques de France*, un *Recouvrement de Normandie* (1449), une *Histoire de Richard II* (1440) ; le héraut bourguignon Toison d'Or (Jean Lefèvre de Saint-Rémy) dont la *Chronique* va de 1408 à 1436. Les mémorialistes, soucieux de justifier leur carrière et leurs choix, se multiplient : on parlera plus loin du plus illustre, Commynes. Au demeurant, la coloration que des écrivains issus du monde politique ou de la haute administration donnent à la littérature s'étend à des domaines moins attendus que l'écriture de l'histoire : on l'a vu plus haut à travers les rhétoriqueurs et l'on en trouvera bientôt d'autres exemples à la cour de France sous les règnes de Charles V et de Charles VI.

Mais, pour le XIVe siècle, le monument essentiel de l'histoire en français est constitué par la masse gigantesque des *Chroniques* de Jean Froissart, que nous avons déjà rencontré comme poète. Né à Valenciennes, sans doute en 1337, Froissart quitte en 1361 le Hainaut pour l'Angleterre, où il est pendant huit ans le protégé de sa compatriote la reine Philippa, épouse d'Edouard III. Pendant cette période il compose surtout des poèmes tout en rassemblant les matériaux de ses futures *Chroniques*. A la mort de la reine (1368), il s'installe en Hainaut où il s'attire la protection du duc Wenceslas de Brabant et où il achève en 1373 pour Robert de Namur la première version du Premier Livre des *Chroniques*. Nommé la même année curé des Estinnesau-Mont grâce à Gui de Châtillon, comte de Blois, qui sera son mécène aussi longtemps que sa fortune le lui permettra et lui obtiendra plus tard un canonicat à Chimay, il rédige à sa demande une deuxième version du Premier Livre, puis le Second, et enfin, après un voyage à la cour du comte de Foix et de Béarn Gaston Phébus, le Troisième Livre des *Chroniques* (1389). Il entreprend aussi dans les années 1380 son roman *Méliador*. Malgré l'accueil aimable du roi Richard II, un voyage en Angleterre en 1395 le laisse sur la déception de ne plus y retrouver le monde de sa jeunesse. Rentré en Hainaut, il écrit le Quatrième Livre et refond entièrement la première partie du Premier Livre des *Chroniques*. Il meurt à une date inconnue, postérieure à 1404.

Cette carrière dans la mouvance de mécènes successifs qui assurent à l'écrivain, très tôt respecté et admiré, sécurité matérielle, mais aussi, grâce à des bénéfices ecclésiastiques, indépendance, n'est pas sans évoquer celle de Machaut. Le poids des cours et des amitiés princières y est très sensible, mais l'écrivain travaille malgré tout en *free lance* et n'est pas encore le fonctionnaire que seront ses successeurs bourguignons du XVe siècle. Cependant Froissart, après avoir commencé une carrière de poète, consacre ensuite l'essentiel de ses forces aux *Chroniques*, qui ne se voulaient pourtant au départ qu'une compilation et une continuation de celles du chanoine de Liège Jean le Bel.

Froissart chroniqueur a souvent été jugé avec une injuste sévérité. On lui a reproché, outre des erreurs sur les faits, son manque de profondeur et de sens politique, son goût du spectacle plus que de l'analyse, une adhésion irréfléchie aux préjugés de la noblesse, une fascination et une admiration dénuées de sens critique pour les fastes et les valeurs chevaleresques, dont les événements mêmes qu'il rapporte montrent pourtant l'inconsistance, la vanité, l'inadéquation à l'évolution de la société, du jeu politique, de l'art militaire et du même coup, inévitablement, l'hypocrisie. Ces critiques témoignent d'une certaine incompréhension. Froissart cherche à dégager le sens des événements et, pour y parvenir, il s'inspire des méthodes de composition et d'écriture du genre littéraire qui à son époque est par excellence porteur de sens : le roman. Le malentendu vient de là : ce qui est romanesque dans ses *Chroniques* est ce qui est porteur de sens. D'autre part, on ne peut qu'être confondu par ses efforts et par son travail. Travail d'enquête d'abord : il voyage en Angleterre, en Ecosse, en Italie, en Béarn, toujours anxieux de rencontrer des témoins et des acteurs des événements, de recueillir et de confronter leurs témoignages. Ainsi, il corrige la version « castillane » des événements d'Espagne qu'il a recueillie à la cour de Gaston Phébus en 1388-89 grâce aux renseignements qu'il obtient du Portugais Fernando Pacheco, rencontré l'année suivante en Zélande. Travail de rédaction ensuite : il donne plusieurs versions successives du Premier Livre, chacune marquée par une perspective, une ambition, des choix particuliers. Et même chaque nouvelle copie faite sous sa direction est l'occasion de modifications et de remaniements en fonction de son destinataire. De ce double travail, il sait donner un aperçu en se mettant en scène avec vivacité et habileté comme enquêteur et comme écrivain. Il évoque ses voyages, ses rencontres, et l'essentiel du Livre III est occupé par le récit de son voyage en Béarn et de sa collecte d'informations en chemin comme à la cour d'Orthez. Souvent il explique au lecteur pourquoi il regroupe les faits de telle façon, pourquoi il s'interrompt à tel moment pour revenir en arrière. Il se tire avec honneur de ses morceaux de bravoure et il est, pour le dire d'un mot, d'une lecture des plus agréables.

Le succès immense des *Chroniques* de Froissart leur a valu de trouver des continuateurs. Le Bourguignon Enguerrand de Monstrelet les poursuit pour la période 1400-1444. Il est lui-même utilisé par Georges Chastellain, officier de la cour de Bourgogne et écrivain très renommé en son temps, dont les *Chroniques*, partiellement perdues, couvrent, pour ce que nous en connaissons, la période 1419 (assassinat de Jean Sans-Peur) - 1475. Chastellain, que nous avons déjà mentionné comme poète, écrit dans une prose emphatique et déclamatoire, soucieuse de rythme et de périodes, caractéristique des rhétoriqueurs. Un autre rhétoriqueur, son disciple Jean Molinet, lui succède comme historiographe officiel de la cour de Bourgogne. Il couvre les années 1474-1506.

C'est dans une perspective toute différente que se situent les *Mémoires* de Philippe de Commynes. Né en 1447, écuyer du comte de Charolais, le futur duc de Bourgogne Charles le Téméraire, en 1464, il est secrètement acheté par Louis XI lors de l'entrevue de Péronne en 1468. Après avoir continué à remplir des missions de confiance pour le duc Charles pendant quelques années, il l'abandonne et gagne le camp français dans la nuit du 7 au 8 août 1472. Comblé de faveurs par Louis XI, il joue d'abord auprès de lui un rôle politique de premier plan, puis tombe dans une demi-disgrâce qui s'accentue après la mort du roi sous la régence d'Anne de Beaujeu, au point de le conduire un moment en prison. Malgré ses efforts, il ne reviendra plus aux affaires jusqu'à sa mort en 1511.

Ses *Mémoires* ont été composés pour l'essentiel en 1489-1490, et complétés entre 1493 et 1498. C'est l'ouvrage d'un témoin, soucieux de démêler les causes profondes des événements auxquels il a été mêlé. C'est aussi, de façon dissimulée, le plaidoyer *pro domo* d'un homme marqué par la trahison. C'est enfin une sorte de traité de gouvernement à l'usage des princes, à travers la leçon des faits, les portraits des souverains, les caractères des peuples, la nature des différents systèmes politiques.

Tous les témoignages personnels sur cette époque n'ont pas autant d'ambition ni de recul. Mais il est intéressant, précisément, d'en voir apparaître qui ne prétendent, en principe du moins, à aucune mise en forme littéraire. Dès la fin du XIVe siècle, l'évêque Jean Le Fèvre, chancelier du duc Louis Ier d'Anjou, tient un journal qui a retenu l'attention des historiens, en particulier pour ce qu'il dit des événements du Grand Schisme. Entre 1405 et 1449, le *Journal d'un bourgeois de Paris* (le chanoine Jean Chuffart ?) offre, dans un style alerte et efficace, une mine de renseignements sur la vie quotidienne — y compris le cours des denrées — et les opinions moyennes dans la capitale à la fin de la guerre de Cent Ans.

Toutefois, le véritable intérêt pour la littérature de tous ces ouvrages à caractère historique est ailleurs. Il est, on le verra plus loin, dans la relation, mentionnée à propos de Froissart, entre l'écriture de l'histoire et celle de la fiction romanesque. Il est aussi dans l'envahissement des diverses formes littéraires par l'actualité et par des préoccupations politiques au sens large.

La réflexion politique

La nouvelle catégorie d'écrivains constituée par des serviteurs du prince et de l'Etat ne manifeste pas seulement son intérêt pour la chose publique en relatant l'histoire de son temps. Elle le fait aussi de façon plus directe en enrobant sous les formes de la littérature une réflexion politique et morale.

Cette ambition est particulièrement sensible à la cour de France parmi les conseillers de Charles V, puis du jeune Charles VI. C'est l'un d'eux qui écrit en 1376 le *Songe du Verger* qui, dans le cadre conventionnel du songe, est un long dialogue en prose sur les rapports de la puissance ecclésiastique et de la puissance séculière, et plus particulièrement sur les pouvoirs du pape et du roi de France, défendus respectivement par un clerc et un chevalier. L'ouvrage, écrit immédiatement après les trêves de Bruges de 1375, qui consacrent les résultats de la reconquête de la France par Charles V, aborde de nombreux sujets d'actualité : la question bretonne, la question anglaise, celle du retour du pape à Rome, celle de la succession des femmes, celle de la souveraineté du roi de France, qui fondait juridiquement la position de Charles V dans les négociations de Bruges. Philippe de Mézières (1327-1405), chancelier du roi de Chypre Pierre Ier de Lusignan avant de devenir un proche conseiller de Charles V et le précepteur du dauphin, le futur Charles VI, écrit à l'usage de ce dernier en 1389 le *Songe du vieux Pèlerin*, ouvrage de *bonne policie*, dont l'enseignement est à la fois religieux et politique. Il s'agit de préparer l'âme à la conquête du Royaume de Dieu, représenté, pour l'ancien chancelier de Chypre, par le passage d'outre-mer et la croisade. Guidée par l'auteur sous le nom d'Ardent Désir, la reine Vérité, entourée de Justice, Paix et Miséricorde, parcourt l'Orient et l'Occident en jugeant les mœurs et les institutions. A la fin, elle arrive en France où elle passe en revue les divers états de la société, jusqu'au roi. Des réformes sont proposées, et la dernière partie de l'ouvrage est un véritable manuel de gouvernement. De façon moins directe et plus spéculative, Nicole Oresme propose, à travers Aristote, une éthique de l'Etat et réfléchit sur les conséquences perverses de la sophistication des monnaies (*De moneta*).

Mais l'ouvrage le plus illustre dans cette veine est le *Quadrilogue invectif* d'Alain Chartier, secrétaire de Charles VI, puis du dauphin (Charles VII), et dont on a dit déjà l'influence comme poète. Composé en 1422, après le traité de Troyes, à l'époque la plus sombre pour le royaume, le *Quadrilogue invectif* montre la France en habits de deuil se plaindre de ses enfants. Ceux-ci, représentés par les trois états, prennent la parole tour à tour. Le Peuple crie sa misère et son désespoir, le Chevalier son amertume, le Clergé formule les conditions d'un redressement national.

D'autres abordent ces questions avec moins de compétence, mais autant de zèle. Christine de Pizan écrit le *Livre des faits et bonnes mœurs du roi Charles V* en 1404, une *Lettre à Isabeau de Bavière* en octobre 1405, un *Livre du corps de policie* entre 1404 et 1407, une *Lamentation sur les maux de la guerre civile* en 1410, un *Livre de la paix*, commencé en 1412 et achevé en 1414. Sa dernière œuvre connue est, en 1429, un *Ditié de Jehanne d'Arc*.

Les préoccupations et les thèmes politiques investissent curieusement à cette époque une forme littéraire que rien ne semblait destiner à les accueillir, la pastorale. Dans la première moitié du XIVe siècle, un court poème de Philippe de Vitry, le *Dit de Franc-Gontier*, dont se moquera Villon, avait célébré la vie rustique, rompant ainsi avec le regard méprisant ou narquois que la pastourelle jetait sur elle. Cette inversion des valeurs marque le passage de la pastourelle à la pastorale. Mais voilà que dans le même temps les bergeries deviennent le masque d'une propagande politique. Froissart compose quelques pastourelles où les bergers oublient leurs amours pour commenter l'actualité. Le *Pastoralet* (entre 1422 et 1425), qui relate sous le couvert de la pastorale les événements du règne de Charles VI, est un violent pamphlet bourguignon.

Enfin, la poésie des choses de la vie, définie au chapitre précédent, devient naturellement une poésie de l'actualité : Machaut peint les malheurs du temps, Deschamps pleure la mort de Du Guesclin. La prison, dont la guerre rend la menace constante, devient un thème poétique important, dans le *Confort d'ami* de Machaut, écrit pour Charles de

Navarre prisonnier de Jean le Bon, dans le *Dit du bleu chevalier* de Froissart, dans sa *Prison amoureuse*, peinture allégorique de la captivité réelle de Wenceslas de Brabant, au siècle suivant dans le poème anonyme du *Prisonnier desconforté*, dans les *Fortunes et adversités* de Jean Régnier, et bien entendu chez Charles d'Orléans.

L'effort didactique

Cette coloration sérieuse de la littérature, cette sagesse des lettres, se manifeste, hors du domaine politique, par l'abondance des ouvrages didactiques. Ouvrages d'édification et de spiritualité, bien sûr, comme il y en a eu tant tout au long du Moyen Age, mais qui revêtent une qualité nouvelle quand leur auteur est Jean Gerson (1363-1429), chancelier de l'Université de Paris, théologien et auteur spirituel en français comme en latin (*La Montagne de contemplation*, *La Mendicité spirituelle*, *La Médecine de l'âme*, *L'ABC des simples gens*), et l'une des personnalités les plus respectées de son temps. Ouvrages à visée morale, comme ceux que Christine de Pizan écrit pour réconforter ou pour défendre les femmes (*La Cité des Dames*, 1404-1405). Mais aussi ouvrages d'éducation, comme l'étrange mystique et logicien catalan Raymond Lulle (ca. 1232-1315) en avait écrit (*Doctrine d'enfant*, *Felix ou les merveilles*, et le curieux « Bildungsroman » d'*Evast et Blaquerne*). Le chevalier angevin Geoffroy de La Tour Landry (ca. 1330 - ca. 1405) écrit un *Livre pour l'enseignement de ses filles*, qui est à la fois un livre de souvenirs et un recueil d'anecdotes et d'*exempla* d'origines diverses. Vers 1393, un bourgeois de Paris, riche et vieillissant, écrit pour sa très jeune épouse le *Mesnagier de Paris*, qui mêle l'instruction religieuse, les conseils d'économie ménagère et les recettes de cuisine.

Les ouvrages scientifiques ou qui exposent un savoir pratique se multiplient même en langue vulgaire : traités d'astronomie ou d'astrologie, de médecine, livres de chasse, dont le plus célèbre est celui de Gaston Phébus, l'hôte de Froissart, ou de guerre. Parmi ces derniers, certains n'ont pour objet que les techniques liées à l'évolution de l'art militaire (*Art d'archerie, Art d'artillerie*) ou la codification des joutes et des tournois (*Demandes pour les joutes, les tournois et la guerre* de Geoffroy de Charny, *Livre des tournois* du roi René d'Anjou), mais d'autres proposent une réflexion sur les règles de la guerre et sur les relations de la force et du droit. Si Geoffroy de Charny, mort à la bataille de Poitiers en 1356 alors qu'il portait l'oriflamme de France, tente seulement, dans son *Livre de chevalerie*, de maintenir les règles chevaleresques menacées par la guerre moderne, sans se soucier des conséquences de la guerre sur les civils, l'*Arbre des batailles* d'Honoré Bovet, prieur de Salon, a, dans les dernières années du siècle, une tout autre portée. C'est un véritable traité de droit public sur les droits de la guerre, soucieux de la protection des non-combattants et de leurs biens (gens d'Eglise, étudiants, marchands et surtout paysans), auquel les exactions des grandes compagnies donnaient une actualité particulière. Si l'efficacité pratique de l'ouvrage fut sans doute nulle, son succès fut immense : on le trouve invoqué dans des traités au XVe siècle comme on invoquerait aujourd'hui les conventions de Genève, et Christine de Pizan le pille, ainsi que la traduction française de Végèce, dans son *Livre des faits d'armes et de chevalerie* de 1410.

Du clerc à l'humaniste

A côté de cet effort didactique, dont les quelques exemples cités ne donnent qu'une faible idée, une mutation plus profonde se profile, touchant peut-être la conception même de la vie intellectuelle et du savoir. D'Italie commence à souffler au XIVe siècle un esprit nouveau : Dante avait donné une synthèse prodigieuse de la pensée et de l'esthétique médiévales, mais aussi de la spiritualité chrétienne et de l'héritage antique ; Pétrarque cherche, au-delà de la formalisation scolastique, à rendre à l'Antiquité son vrai visage. En France même on traduit les auteurs antiques : Tite-Live dès le règne de Jean le Bon, par les soins de Pierre Bersuire. Aristote, à la demande de Charles V, par les soins de Nicole Oresme (ca. 1320 - 1382), Grand Maître du Collège de Navarre, puis évêque de Lisieux.

Oresme laisse, en latin et en français, une œuvre d'une importance considérable à travers laquelle il apparaît en particulier comme un mathématicien de premier ordre et un esprit positif, qui dénonce le danger de l'occultisme dans le *Traictié de la Divination*. Quelques années plus tard, autour du Collège de Navarre, un groupe de beaux esprits — Nicolas de Clamanges, Gontier et Pierre Col, Jean de Montreuil — est en relation avec l'Italie, correspond avec Coluccio Salutati, cherche à retrouver la pureté du latin antique et l'élégance épistolaire classique, sans mépriser pour autant d'écrire en français, sans se désintéresser non plus des difficultés de leur temps : dans les premières années du XVe siècle, Jean de Montreuil défend contre les Anglais les droits du roi de France dans des libelles en latin et en français. Ces pré-humanistes n'exercent pas sur le moment même une influence décisive. Il faudra attendre les années 1450-1470 pour voir Guillaume Fichet, qui installe la première presse d'imprimerie à l'Université de Paris, réclamer, contre les exercices scolastiques, le retour à l'éloquence antique. Mais dès le début du siècle on devine que la grande synthèse du savoir élaborée au XIIIe siècle vacille et qu'est prêt d'apparaître un intellectuel d'un type nouveau, différent du clerc défini indissociablement par ce seul mot comme homme d'Eglise et homme de savoir, plus critique, plus seul.

CHAPITRE XI

Les formes de la représentation

Un monde en représentation

On juge souvent sévèrement la propension du Moyen Age finissant à s'étourdir dans son propre reflet. Dans les fastes chevaleresques et princiers un monde insoucieux ou ignorant de son propre déclin paraît se mirer avec complaisance. La misère physique et morale de la condition humaine elle-même s'étale avec les représentations de la danse Macabré et leurs équivalents littéraires. Il est vrai que peu d'époques ont aussi volontiers joué leur propre mise en scène. Chaque entrée royale, minutieusement relatée par les chroniques, offre la combinaison de plusieurs spectacles : celui du cortège princier, dans sa puissance et dans sa gloire ; celui des tableaux vivants, des bribes de représentation dramatique qui s'animent sur son passage et manifestent le sens de la circonstance par les correspondances de l'allégorie ; celui des manifestations emblématiques de l'abondance (banquets ouverts à tous, fontaines d'où coule le vin, etc). Sacre, couronnement, reddition, réception ou conférence diplomatiques, procès, exécution capitale, tout est, autant que les représentations théâtrales elles-mêmes, occasion de mise en scène.

Mais la société chevaleresque se plaît surtout à se

contempler dans le miroir de la littérature et à se déguiser sur le modèle que lui offrent les romans. Elle multiplie les fêtes et les tournois à thème arthurien, elle reproduit dans ses jeux les aventures des héros de romans. Jean de Luxembourg s'inspire d'un épisode d'*Alixandre l'Orphelin* quand il défend le Pas de la Belle Pèlerine contre des adversaires portant les armes de Lancelot ou de Palamède, le roi René d'Anjou emprunte au *Lancelot* en prose le nom du château de la Joyeuse Garde donné à une *emprise et pas* qu'il organise près de Chinon. Pendant un an, de l'automne 1449 à l'automne 1450, en Bourgogne, Jacques de Lalaing défend pour une Dame de Pleurs la Fontaine de Pleurs contre tout adversaire. On consacre aux exploits de ce personnage bien réel un livre écrit comme un roman (*Livre des faits de Jacques de Lalaing*), comme il y aura aussi un *Livre des faits du maréchal de Boucicaut*. En même temps, on établit minutieusement l'armorial des chevaliers de la Table ronde. On cherche ainsi à donner vie au passé romanesque et à donner à la vie les couleurs du roman.

Le miroir romanesque

Car le monde de ces romans est plus que jamais un monde du passé. C'est dans le passé que sont projetés, en même temps que l'action des romans, les valeurs et l'imaginaire du temps. Il n'y a là, semble-t-il, rien de nouveau : les premiers romans et les chansons de geste faisaient de même. Mais à la fin du Moyen Age, le passé du récit est redoublé par celui de la littérature elle-même. Arthur, Charlemagne, Alexandre n'ont pas seulement vécu il y a très longtemps. Il y a très longtemps aussi qu'on parle d'eux. Au début du roman d'*Ysaïe le Triste*, dont les protagonistes sont le fils, puis le petit-fils de Tristan et d'Iseut, l'auteur insiste sur la durée des aventures bretonnes : au moment où commence son histoire, nous dit-il, le roi Arthur est très âgé et certains chevaliers de la Table ronde sont déjà morts. Non seulement tous ces personnages ont vécu à une époque reculée, mais encore leur vie littéraire est déjà longue, si longue qu'il en sont devenus vieux. Et cette vie, ils l'ont menée, non pas dans un autre monde littéraire, celui de l'Antiquité ou celui de quelque tradition folklorique ou pseudo-historique incertaine, comme lorsqu'ils ont été accueillis dans les premiers romans français, mais dans ces romans mêmes, c'est-à-dire, sans aucune solution de continuité linguistique, culturelle ou chronologique, chez les prédécesseurs et les modèles immédiats de ceux de la fin du Moyen Age. Pour la première fois, la littérature française joue des perspectives ouvertes par celle de son propre passé. Elle éprouve le vieillissement des modes et celui de la langue. Elle découvre que le français d'il y a deux ou trois siècles, celui du XIIe ou du XIIIe siècle, est du vieux français, différent de la langue moderne, presque incompréhensible.

Cette découverte se reflète dans le trait le plus frappant du roman à la fin du Moyen Age : la rareté relative des œuvres entièrement nouvelles — bien que certaines aient été appelées à un grand succès, comme *Mélusine*, dont les deux versions, celle en prose de Jean d'Arras et celle en vers de Coudrette, datent de la fin du XIVe siècle ; l'abondance, au contraire, des *mises en prose*. Les mises en prose, comme leur nom l'indique, sont la récriture et l'adaptation en prose de romans en vers du XIIe ou du XIIIe siècle. De romans ou de chansons de geste, car l'emploi généralisé de la prose retire tout naturellement sa pertinence à l'ancienne distinction entre les genres narratifs fondée en grande partie sur des oppositions de forme poétique, liées elles-mêmes à des modes de réception différents. La résolution des différents genres littéraires et des modes d'utilisation variés qui leur sont liés en une forme unique, celle de la narration en prose divisée en chapitres, a pour conséquence que l'attente du public est la même quelle que soit l'histoire racontée, et qu'elle dérive d'une chanson de geste, d'un roman antique ou breton, d'un récit hagiographique. La vision du monde propre à chacun de ces genres perd dès lors de sa spécificité aux yeux du lecteur et se fond dans une sorte de syncrétisme idéologique commun à toute la littérature narrative. Certains romans au caractère un peu hybride ont ainsi obtenu peu de succès dans leur version d'origine en vers, dont seuls des fragments nous sont parfois parvenus, alors que leur mise en prose a été ensuite largement diffusée : c'est le cas de *Bérinus*, de la *Belle Hélène de Constantinople* ou, dans des conditions un peu différentes, d'*Apollonius de Tyr*. En prose, tout est bon pour l'aventure. Si fidèle que soit chaque mise en prose à l'égard de son modèle, l'ensemble du corpus littéraire ainsi constitué reçoit de cette manière une tonalité et une valeur nouvelles.

En particulier, l'écriture romanesque se modèle sur celle de l'histoire, et le roman retrouve les prétentions historiques qui avaient été les siennes à ses débuts. Compilant au XVe siècle l'ensemble de la matière épique, le Bourguignon David Aubert intitule son énorme ouvrage *Chroniques et Conquêtes de Charlemagne*. La matière antique, celle des croisades, sont refondues sous une coloration historique plus soutenue, même lorsque les sources des nouveaux ouvrages sont purement romanesques ou épiques, même lorsque leur contenu fait la plus large part au merveilleux. Au début de *Baudouin de Flandres*, un comte de Flandres épouse un démon qui s'est incarné dans le cadavre d'une princesse orientale. Ce motif, bien connu de la littérature indienne et arabe, se retrouve un peu plus tard dans *Richard sans peur*, qui est une suite de *Robert le Diable*. Mais à partir de là, au lieu de se concentrer sur les aventures d'un héros, le roman se transforme en une chronique qui s'intéresse à de multiples personnages et se déroule sous les règnes de Philippe Auguste, de saint Louis et de Philippe III le Hardi. Il s'achève, non par le dénouement d'une intrigue ou d'un récit, mais avec la mort de ce dernier souverain et la montée sur le trône de Philippe le Bel. Il récrit l'histoire, celle de Bouvines ou celle de la septième croisade. Il s'attache à des personnages historiques qu'il affuble de destins fantaisistes, comme Ferrant de Flandres ou comme Jean Tristan, dans la réalité troisième fils de saint Louis, né à Damiette et mort devant Tunis, qui, devenu le fils aîné du saint roi, se voit attribuer une vie particulièrement mouvementée.

Le mécénat princier favorise les romans généalogiques écrits sur commande à la gloire d'une famille, de ses racines dans l'histoire et dans le mythe, des personnages qui l'ont illustrée. C'est le cas de l'*Histoire des seigneurs de Gavre*, des deux versions de *Mélusine*, écrites pour des commanditaires apparentés aux Lusignan, de *Fouke le Fitz Warin* et de *Gui de Warwick*, qui poursuivent la tradition anglo-normande du roman familial. Les romans écrits à la cour de Bourgogne jouent volontiers de leur apparence historique pour flatter le duc par des allusions ou des parallèles implicites : ainsi le *Roman du comte d'Artois* ou l'*Histoire de Jason et de Médée* de Raoul Le Fèvre, évidemment liée à la création de l'ordre de la Toison d'Or. Même les mises en prose des romans les plus « classiques » et les moins historiques de l'époque précédente tentent de les tirer vers l'histoire : on multiplie les précisions dynastiques et familiales dans les entrées en matière et les épilogues, les repères chronologiques, les allusions à des événements ou des personnages réels. Ces traits sont sensibles dans les mises en prose d'*Erec* et de *Cligès* de Chrétien de Troyes, de *Cléomadès* d'Adenet le Roi, du *Roman de Chastelain de Coucy et de la Dame du Fayel* de Jakesmes, et dans bien d'autres.

En même temps, bien des romans manifestent le même souci éducatif ou pédagogique qui anime, on l'a vu plus haut, des ouvrages qui prétendent échapper totalement à la fiction, comme le *Livre de Boucicaut*, celui de *Jacques de Lalaing*, le *Jouvencel*. Ce souci se rencontre aussi bien dans des romans bretons comme *Ysaïe le Triste* ou *Perceforest* que dans un roman situé dans un passé récent, et proche par certains aspects de *Jacques de Lalaing*, comme *Jehan de Saintré* d'Antoine de La Sale.

Il ne faut pas croire cependant que les romans en vers disparaissent d'un coup. Au XIVe siècle, ils sont encore assez nombreux. Mais l'hégémonie de la prose, considérée de plus en plus comme la forme naturelle de la narration romanesque, donne par contrecoup au vers, en même temps qu'elle le fait reculer, une valeur particulière. Le recours au vers peut être simplement la marque d'une nostalgie. Il l'est sans doute pour Froissart, qui compose dans les années 1380 un long roman arthurien en vers, *Méliador*, alors que plus personne n'en avait écrit depuis l'*Escanor* de Gérard d'Amiens, un siècle plus tôt. Il peut aussi aller de pair avec une certaine maladresse et relever ainsi du conservatisme propre à des œuvres semi-populaires, ou tout au moins littérairement peu évoluées (*Eledus et Serena*, *Brun de la Montagne*).

Mais les romans en vers peuvent aussi recevoir la coloration affective et subjective qui commence à marquer le vers en tant que tel et qui annonce, on l'a vu, la naissance de la notion de poésie. C'est ainsi qu'ils tendent souvent à donner à l'aventure amoureuse l'expression intériorisée de l'allégorie, même si cette allégorisation reste discrète et à demi implicite, comme dans le *Roman de la Dame à la Licorne et du Beau Chevalier au Lion*. Entre ce roman, qui reste un vrai roman, et les dits qui racontent un songe allégorique du narrateur ou qui retracent l'aventure amoureuse du moi et qui, malgré leur caractère narratif, échappent au genre romanesque, des poèmes ou des prosimètres au classement incertain assurent une continuité : dits amoureux influencés par le *Roman de la Rose*, comme *Pamphile et Galatée* de Jean Bras-de-Fer de Dammartin-en-Goële, qui à la traduction de son modèle latin ajoute des passages directement imités de Jean de Meun ; romans du moi issus du croisement du roman allégorique et du roman breton comme le *Chevalier errant* du marquis Thomas III de Saluces ou, plus tard, le *Livre du Cœur d'Amour épris* du roi René d'Anjou. Le premier emprunte des passages entiers au *Roman de la Rose*, sans pour autant que cette œuvre gigantesque, d'une conception assez originale, soit d'un plagiaire. Le second, dont la narration est plus constamment conforme au modèle romanesque, s'inspire ouvertement à la fois du *Roman de la Rose* et des romans arthuriens. Livres de princes dilettantes, livres de lecteurs, ils font la synthèse de ce qui en leur temps séduit et nourrit l'imaginaire sur le versant subjectif de la narration.

Enfin, dans les toutes dernières années du XVe siècle, l'humanisme naissant paraît donner au vers une valeur nouvelle : pour Octovien de Saint-Gelais, traduire en vers — même exécrables — l'*Enéide* ou *Eurialus et Lucrèce* est visiblement la marque du bel esprit.

Si le roman en vers se marginalise, la forme narrative qui prend son essor à la fin du Moyen Age et dont le développement sera le plus fécond est la nouvelle. Des recueils apparaissent sur le chemin qui va du *Décaméron* de Boccace à l'*Heptaméron* de Marguerite de Navarre, tel, vers le milieu du XVe siècle, celui des *Cent nouvelles nouvelles*. L'influence italienne s'y fait tôt sentir, précédant celle qui s'exercera plus tard sur d'autres genres littéraires. La tradition du fabliau qui s'y perpétue donne à la nouvelle un ton volontiers grivois, en même temps que s'y introduit une réflexion polémique sur l'amour et sur la place des femmes dans la société, réflexion liée à la querelle du féminisme, comme en témoigne la charge misogyne des *Quinze joies de mariage*, ou poursuivant les débats courtois de casuistique amoureuse comme dans les *Arrêts d'Amour* de Martial d'Auvergne, où l'exposé de chaque « cause » est prétexte à conter une anecdote. A la différence du roman, tout entier tourné vers le passé, la nouvelle se situe dans le présent. Elle met en cause ses valeurs, que le roman célèbre et justifie en les projetant dans le passé. Elle est critique, alors que le roman est emphatique. Les rapports qu'entretiennent le roman et la nouvelle apparaissent de façon claire dans *Jehan de Saintré* d'Antoine de La Sale, roman qui tourne à la nouvelle : la duplicité de la dame des Belles Cousines, la vulgarité triomphante de l'abbé, son amant, l'humiliation de Jehan de Saintré, la cruauté de sa vengeance, tout cela dément l'élégante perfection traditionnellement attribuée aux amours courtoises et à l'univers chevaleresque, et dont l'œuvre conserve l'apparence. Dès que le recours au passé romanesque n'est plus là pour les embellir, les mœurs contemporaines apparaissent telles qu'elles sont, basses. Et c'est parce qu'il refuse l'illusion du passé que le nouvelliste du XVe siècle apparaît comme un moraliste.

A ce compte, le roman au sens moderne est fils de la nouvelle. Quant au roman médiéval, au roman de chevalerie, il connaîtra un destin marginal et particulier. Les romans de la fin du Moyen Age seront imprimés en grand nombre à partir de la fin du XVe siècle — et nourriront les rêves de Don Quichotte. Mais ils plongeront peu à peu dans la littérature populaire et survivront — certains d'entre eux jusqu'au siècle dernier — grâce aux livrets de colportage. C'est sous cette forme qu'ils attendront, à la fois largement diffusés et obscurs, que la fin du XVIIIe siècle renoue avec le Moyen Age.

Le théâtre

Le miroir romanesque est un mode métaphorique de la représentation. Mais la fin du Moyen Age est l'époque, on l'a dit, de toutes les représentations et de toutes les mises en scène. C'est le moment où le théâtre connaît son grand développement. Le théâtre religieux d'abord. Les « miracles par personnages », dont le *Jeu de saint Nicolas* de Jean Bodel ou le *Miracle de Théophile* de Rutebeuf étaient les premiers représentants, se multiplient, souvent commandés par des confréries soucieuses d'honorer leur saint patron. Miracles des saints ou *Miracles de Notre Dame* — ces derniers reprenant sous forme dramatique les anciennes collections narratives dont la plus célèbre était celle de Gautier de Coincy (ca. 1177-1236) — traitent chacun un miracle particulier, opéré par le saint ou par la Vierge depuis leur séjour céleste. Les « mystères », en revanche, mettent en scène la vie entière d'un saint ou la totalité d'un livre ou d'un épisode bibliques. Leur représentation, associée à celle d'une « moralité » — genre didactique à sujet religieux, moral ou politique mettant en scène des entités allégoriques — et d'une « farce », durait toute une journée, et parfois, pour les grands mystères de la Passion ou pour celui des Actes des Apôtres, plusieurs jours. Les représentations étaient organisées par les villes, à grands frais, avec des mises en scène faisant appel à des machineries et à des truquages élaborés, en particulier pour montrer tortures et supplices. La population tout entière était appelée à la préparation du spectacle et se retrouvait pour y assister, entourant le cercle de l'espace scénique qui pouvait être étendu aux dimensions d'une place (Henri Rey-Flaud, *Le Cercle magique*, Paris, 1973).

Au XVe siècle, les mystères de la Passion — celui d'Eustache Mercadé (1420), celui, admirable, d'Arnoul Gréban (1452), repris et amplifié en 1486 par Jean Michel — comptent plusieurs dizaines de milliers de vers (près de 35000 pour celui de Jean Michel). Loin de se limiter à la Passion du Christ elle-même, ils remontent à la création de l'homme et au péché originel et suivent l'attente du Sauveur et la promesse de Dieu à travers tout l'Ancien Testament, offrant une vaste méditation sur l'histoire du salut, les relations de Dieu et des hommes, l'économie de la Rédemption. Ils ne craignent pas d'y ajouter des éléments apocryphes, comme la légende d'un Judas parricide et incestueux, et d'y mêler des scènes familières, touchantes ou comiques, voire burlesques lorsqu'ils mettent en scène les démons. Le long *Mystère des Actes des Apôtres* d'Arnoul et de Simon Gréban (62000 vers) prolonge la Passion par l'histoire du christianisme naissant au sein du monde romain.

Enfin quelques mystères traitent des sujets profanes, comme le *Mystère du siège d'Orléans* (1453), à peu près contemporain de la réhabilitation de Jeanne d'Arc, qui peut toutefois être lu comme une œuvre à la gloire des saints locaux, ou le *Mystère de la destruction de Troie la Grant* de Jacques Milet (1452), long de 27 000 vers et divisé en quatre journées, qui, dédié à Charles VII, met pour la première fois sur scène le monde antique et exploite le mythe de l'origine troyenne des Francs. De même il existe des miracles édifiants sans être proprement religieux, comme celui de *Griseldis*.

Le théâtre comique, pour sa part, n'a pas ces ambitions et n'atteint pas ces dimensions. Il se présente sous la forme de pièces brèves (300 à 500 vers environ), qui relèvent de deux genres principaux, la sottie et la farce. Souvent liée à l'activité de confréries joyeuses (Enfants sans souci à Paris, Cornards à Rouen), la sottie a son origine dans les milieux intellectuels urbains, et particulièrement dans le monde des écoles (Clercs de la basoche de Paris). Les sots, reconnaissables à une tenue particulière, élisent un Prince des Sots et une Mère Sotte. Leur discours, fait de paradoxes et de non-sens, est supposé receler plus de vérité que les propos dictés par le sens commun. Les sotties, particulièrement celles produites dans les milieux de la basoche, reproduisent de façon parodique l'ordonnance d'un véritable procès, où les accusés s'appellent Chacun ou Les Gens. Après le verdict, le juge charge les sots de réformer le royaume (*Sottie des Sots triomphants qui trompent Chacun*, *Sottie pour le cry de la Basoche*). D'autres mettent en scène des types sociaux, apppartenant généralement à des catégories réputées misérables ou infâmes. La satire sous-jacente n'est pas très éloignée de celle qui s'exprimait à l'époque précédente dans les revues des états du monde, bien que le ton en soit tout autre et la coloration plus politique : on le voit, par exemple, dans la *Sottie à VII personnages* d'André de La Vigne (1507). La fantaisie verbale, les calembours, les coq-à-l'âne, le jeu constant de l'*annominatio*, cachent sous une liberté apparemment totale une parenté réelle avec la virtuosité des rhétoriqueurs.

La farce exploite pour sa part de façon systématique les ressorts et les automatismes des retournements de situation qui font du trompeur le trompé. Etroitement apparentée à l'esprit du fabliau, elle met volontiers en scène les personnages du triangle amoureux, sous le regard du *badin*, naïf qui, en prenant tout à la lettre, fait jaillir la vérité et ridiculise sans le vouloir les conventions. La versification prend parfois une forme strophique pour permettre l'introduction dans le dialogue de scies et de rengaines. Certaines développent un proverbe entendu au sens littéral (*Farce des éveilleurs du chat qui dort*, *Farce des femmes qui font accroire à leurs marys de vecies que ce sont lanternes*). La plus célèbre, et la plus élaborée, est celle de *Pathelin* (entre 1461 et 1469 ?).

Toutes ces formes théâtrales appartiennent tout autant au XVIe siècle qu'à la fin du Moyen Age, bien que les mystères, dont l'orthodoxie pouvait paraître suspecte, n'aient pas résisté aux tensions nées de la Réforme et aient été interdits, à Paris du moins, en 1548. Pas plus dans ce domaine que dans les autres, la fin du XVe siècle ne marque en soi une coupure bien nette. Les rhétoriqueurs sont des poètes du XVIe autant que du XVe siècle et les formes lyriques « médiévales » resteront longtemps en honneur. Les romans de chevalerie feront la fortune des imprimeurs. L'écrivain lyonnais Pierre Sala, auteur d'un *Tristan*, offre à François Ier comme une nouveauté une adaptation du *Chevalier au Lion* de Chrétien de Troyes. Montaigne cite Froissart. Le Moyen Age n'est pas une découverte du romantisme. Notre littérature n'a jamais complètement cessé d'en vivre.

Orientations bibliographiques sommaires

BIBLIOGRAPHIES

BOSSUAT R., *Manuel bibliographique de la littérature française du Moyen Age*, Paris, d'Argences, 1951. *Supplément (1949-1953)* avec le concours de J. MONFRIN, Paris, d'Argences, 1955. *Second supplément (1954-1960)*, Paris, d'Argences, 1961. *Troisième supplément (1960-1980)* par F. VIELLIARD et J. MONFRIN, Paris, Editions du C.N.R.S., t. 1, 1986, t. 2, 1991.

Le *Manuel* de BOSSUAT, qui a pour programme de répertorier la totalité des publications dans le domaine de la littérature en langue d'oïl, n'a pas d'équivalent pour la littérature en langue d'oc. Mais il existe un bon répertoire sélectif :

TAYLOR R.A., *La Littérature occitane du Moyen Age. Bibliographie sélective et critique*, Toronto U.P., 1977.

Le *Bulletin de l'Association Internationale d'Etudes Occitanes* a entrepris de mettre à jour la bibliographie de TAYLOR. La première liste de titres, concernant les troubadours, a paru dans le numéro 5, 1990.

Quelques bibliographies consacrées à des auteurs particuliers (Chrétien de Troyes, Marie de France) ont été publiées par l'éditeur londonien Grant & Cutler.

Une bibliographie thématique annuelle couvrant tout le domaine de la civilisation, de l'art, de la pensée et des littératures en Occident du Xe au XIIIe siècle est publiée depuis 1958 par la revue :

Cahiers de Civilisation Médiévale (Centre d'Etudes Supérieures de Civilisation Médiévale de l'université de Poitiers).

Pour le latin médiéval, une bibliographie annuelle est publiée depuis 1980 par la revue :

Medioevo latino. (*Bolletino bibliografico delle cultura europea dal secolo VI al XIII*, a cura di Claudio LEONARDI, Spolète).

Pour l'histoire médiévale et les sciences annexes, y compris l'histoire littéraire, mais en France seulement :

Bibliographie de l'histoire médiévale en France (1965-1990), textes réunis par Michel BALARD, Paris, Publications de la Sorbonne, 1992.

Quelques bibliographies spécialisées sont publiées annuellement par des sociétés savantes ; par exemple :

Bulletin Bibliographique de la Société Internationale Arthurienne.

Bulletin Bibliographique de la Société Internationale Rencesvals, pour l'étude des chansons de geste romanes.

Encomia, Bulletin de la Société Internationale d'Etudes Courtoises.

Enfin, on consultera les bibliographies annuelles de la littérature française, en particulier celle de Otto KLAPP la littérature française, en particulier celle de Otto KLAPP et celle de René RANCŒUR ainsi que celle de la *Modern Language Association of America.*

INSTRUMENTS DE TRAVAIL ET MANUELS

BADEL P.Y., *Introduction à la vie littéraire du Moyen Age*, Paris, Bordas, 1969, édit. revue 1984.

BAUMGARTNER Emmanuèle, *Histoire de la littérature française. Moyen Age (1050-1486)*, Paris, Bordas, 1987.

BOUTET Dominique et STRUBEL Armand, *La Littérature française du Moyen Age*, Paris, P.U.F., 1978 (Que sais-je ? 145).

Dictionnaire des Lettres françaises, sous la direction du Cardinal G. GRENTE. *I. Le Moyen Age*, vol. préparé par R. BOSSUAT, L. PICHARD et G. RAYNAUD DE LAGE. Edition entièrement révisée et mise à jour sous la direction de G. HASENOHR et M. ZINK, Paris, Le Livre de Poche, « La Pochothèque », 1992.

GALLY Michèle et MARCHELLO-NIZIA Christiane, *Littératures de l'Europe médiévale*, Paris, Magnard, 1985. [Choix de textes traduits, commentés et illustrés, couvrant l'ensemble des littératures latine et vernaculaires de l'Occident médiéval.]

Grundriss der romanischen Literaturen des Mittelalters, Heidelberg, Carl Winter Verlag. Volume I, *Généralités*, sous la direction de M. DELBOUILLE, 1972. Volume II, *Les Genres lyriques*, sous la direction de E. KÖHLER (seuls les fascicules 4, 5, et 7 du tome 1 concernant essentiellement les genres non courtois ont paru, respectivement en 1980, 1979 et 1990). Volume III, *Les Épopées romanes*, sous la direction de R. LEJEUNE (seul le fascicule 2 du tome 1 sur la *Chanson de Roland* et la Geste de Charlemagne a paru en 1981). Volume IV, *Le Roman jusqu'à la fin du* XIIIe *siècle*, sous la direction de J. FRAPPIER et R. GRIMM, t. 1, 1978, t. 2, 1984. Volume VI, *La Littérature didactique, allégorique et satirique*, sous la direction de H.R. JAUSS, t. 1, 1968, t. 2, 1970. Volume VIII, *La Littérature française aux XIVe et XVe siècle*, sous la direction de D. POIRION, t. 1, 1988. Volume XI, *La Littérature historiographique des origines à 1500*, sous la direction de H.U. GUMBRECHT, U. LINK-HEER et P.M. SPANGENBERG, t. 1 en 3 vol., 1986-1987. [Chaque volume du G.R.L.M.A. est formé de deux parties, occupant généralement chacune un tome, une partie dite historique, réunissant des articles de synthèse sur les genres et les périodes envisagés, et une partie dite documentaire, où chaque texte se voit consacrer une notice. Le plan général de l'ouvrage prévoit 13 volumes.]

Lexikon des Mittelalters, Munich, Artemis Verlag, 1977... [En cours de publication.]

Littérature française, collection dirigée par Claude PICHOIS, Paris, Arthaud. *Le Moyen Age I, des origines à 1300*, par Jean-Charles PAYEN, 1970. *Le Moyen Age II, 1300-1480*, Daniel POIRION Paris, 1971.

POIRION Daniel (sous la direction de), *Précis de littérature française du Moyen Age*, Paris, P.U.F., 1983.

Typologie des sources du Moyen Age occidental, sous la direction de Léopold GENICOT (Université catholique de Louvain), Turnhout, Brepols. [Cet ouvrage, composé de fascicules qui paraissent au fur et à mesure de leur achèvement mais qui s'inscrivent dans un plan d'ensemble précis, entend définir chaque type de source et ses règles herméneutiques particulières.]

ZINK Michel, *Littérature française du Moyen Age*, Paris, P.U.F., Collection 1er cycle, 1992.

ÉDITIONS DE TEXTES

Il est impossible de citer ici ne serait-ce qu'une seule édition de chacune des œuvres mentionnées dans ce livre. Le lecteur se reportera aux répertoires bibliographiques signalés plus haut. Il pourra aussi consulter les catalogues des collections suivantes :

Société des Anciens Textes Français (S.A.T.F.), Paris : éditions critiques.

Classiques Français du Moyen Age (C.F.M.A.), Paris, Champion : éditions critiques. Une série de traductions double partiellement celle des textes. Récemment, quelques œuvres ont été reprises en version bilingue.

Textes Littéraires Français (T.L.F.), Genève, Droz : éditions critiques. La collection n'est pas réservée aux œuvres médiévales, mais leur fait une large place.

Bibliothèque française et romane, Paris, Klincksieck : éditions critiques.

Lettres gothiques, Paris, Le Livre de Poche : collection bilingue, offrant le texte original (édition critique allégée ou reprise d'une bonne édition antérieure) et sa traduction en regard (parfois remplacée par des explications continues).

Bibliothèque médiévale, Paris, U.G.E. 10/18 : certains des volumes sont bilingues, d'autres ne donnent que la traduction.

Stock Plus Moyen Age, Paris, Stock : traductions seules.

Quelques œuvres médiévales ont été publiées par les Classiques Garnier (éditions critiques bilingues) ainsi que par Garnier-Flammarion et par Folio (le plus souvent réimpression d'éditions antérieures avec traduction en regard ou au-dessus du texte original ; parfois, chez Folio, traduction seule).

QUELQUES OUVRAGES CRITIQUES IMPORTANTS OU D'ACCÈS AISÉ

Le caractère nécessairement très sommaire de cette bibliographie oblige à des choix arbitraires. On a eu le souci qu'à chaque domaine de la littérature française médiévale corresponde au moins un titre dans la liste ci-dessous. Pour des raisons pratiques plus que scientifiques, on a privilégié les ouvrages en français.

ACCARIE Maurice, *Le Théâtre sacré à la fin du Moyen Age : le mystère de la Passion de Jean Michel*, Genève, Droz, 1980.

AINSWORTH Peter F., *Froissart and the Fabric of History*, Oxford, Clarendon, 1991.

AUBAILLY, *Le Monologue, le dialogue et la sottie. Essai sur quelques genres dramatiques à la fin du Moyen Age et au début du XVIe siècle*, Paris, Champion, 1976.

BADEL Pierre-Yves, *Le* Roman de la Rose *au XIVe siècle. Etude de la réception de l'œuvre*, Genève, Droz, 1980.

BATANY Jean, *Approches du* Roman de la Rose, Paris, Bordas, 1973.

BATANY Jean, *Scènes et coulisses du* Roman de Renart, Paris, SEDES, 1989.

BAUMGARTNER Emmanuèle, *Le « Tristan en prose ». Essai d'interprétation d'un roman médiéval*, Genève, Droz, 1975.

BAUMGARTNER Emmanuèle, *Tristan et Yseut*, Paris, P.U.F., 1987.

BEDIER Joseph, *Les Fabliaux*, Paris, Champion, 1893.

BEDIER Joseph, *Les Légendes épiques*, Paris, Champion, 4 vol., 1908-1913.

BEZZOLA Reto R., *Les Origines et la formation de la littérature courtoise en Occident (500-1200)*, 5 vol., Paris, Champion, 1944-1967.

BLOCH Howard, *Etymologie et généalogie. Une anthropologie littéraire du Moyen Age français*, Paris, Le Seuil, 1989 (original amér.1983).

BOSSUAT Robert, *Le Roman de Renart*, Paris, Hatier, 1967.

BOUTET Dominique, *Les Fabliaux*, Paris, P.U.F., 1985.

BOUTET Dominique et STRUBEL Armand, *Littérature, politique et société dans la France du Moyen Age*, Paris, P.U.F., 1979.

BROWNLEE Kevin, *Poetic Identity in Guillaume de Machaut*, Madison, The University of Wisconsin Press, 1984.

CERQUIGLINI Jacqueline, « *Un engin si soutil.* » *Guillaume de Machaut et l'écriture au XIVe siècle*, Paris, Champion, 1985.

CURTIUS Ernst R., *La Littérature européenne et le Moyen Age latin*, Paris, P.U.F., 1956, nouv. édit. 2 vol. 1986 (origin. allem. 1947).

DAVENSON Henri (Henri-Irénée MARROU), *Les Troubadours*, Paris, Le Seuil, 1961.

DE BRUYNE Edgar, *Etudes d'esthétique médiévale*, 3 vol., Bruges, 1946.

DOUTREPONT Georges, *La Littérature à la cour des ducs de Bourgogne*, Paris, 1909.

DOUTREPONT Georges, *Les Mises en prose des épopées et des romans chevaleresques du* XIVe *au* XVIe *siècle*, Bruxelles, 1939.

DRAGONETTI Roger, *La Technique poétique des trouvères dans la chanson courtoise. Contribution à l'étude de la rhétorique médiévale*, Bruges, De Tempel, 1960.

DUBUIS Roger, *Les* Cent Nouvelles nouvelles *et la tradition de la nouvelle en France au Moyen Age*, Presses Universitaires de Grenoble, 1973.

DUFOURNET Jean, *La Destruction des mythes dans les Mémoires de Philippe de Commynes*, Genève, Droz, 1966.

DUFOURNET Jean, *Les Ecrivains de la quatrième croisade, Villehardouin et Clari*, Paris, SEDES, 1973.

DUFOURNET Jean, *Adam de la Halle à la recherche de lui-même ou Le Jeu dramatique de la Feuillée,* et *Sur le* Jeu de la Feuillée. *Etudes complémentaires*, Paris, SEDES, 1974 et 1977.

DUGGAN Joseph, *The Song of Roland. Formulaic Style and Poetic Craft*, Berkeley U.P., 1973.

FARAL Edmond, *Les Jongleurs en France au Moyen Age*, Paris, Champion, 1910.

FARAL Edmond, *La Légende arthurienne*, 3 vol., Paris, Champion, 1929.

FAVIER Jean, *François Villon*, Paris, Fayard, 1982 (rééd. Marabout Université, 1983).

FLINN John, *Le* Roman de Renart *dans la littérature française du Moyen Age et dans les littératures étrangères*, Toronto U.P., 1963.

FORMISANO Luciano (sous la direction de), *La Lirica*,

Bologne, Il Mulino, « Strumenti di filologia romanza », 1990.

FOULET Lucien, *Le Roman de Renart*, Paris, 1914.

FOULON Charles, *L'Œuvre de Jean Bodel*, Paris, 1958.

FRAPPIER Jean, *Etude sur* La Mort le roi Artu, Genève, Droz, 3e édit. revue, 1972.

FRAPPIER Jean, *Chrétien de Troyes*, Paris, Hatier, 1957.

GRUBER Jörg, *Die Dialektik des Trobar. Untersuchungen zur Struktur und Entwicklung des occitanischen und französischen Minnesangs des 12. Jahrhunderts*, Tübingen, Max Niemeyer, 1983.

HARF-LANCNER Laurence, *Les Fées dans la littérature française du Moyen Age. Morgane et Mélusine*, Paris, Champion, 1984.

JAUSS Hans Robert, *Alterität und Modernität der mittelalterlichen Literatur*, Munich, Wilhelm Fink, 1977.

JEANROY Alfred, *Les Origines de la poésie lyrique en France au Moyen Age*, Paris, Champion, 1889.

JEANROY Alfred, *La Poésie lyrique des troubadours*, 2 vol., Toulouse-Paris, Privat-Didier, 1934.

JUNG Marc René, *Etudes sur le poème allégorique en France au Moyen Age*, Berne, Francke, 1971.

KAY Sarah, *Subjectivity in Troubadour Poetry*, Cambridge U.P., 1990.

KÖHLER Erich, *Trobadorlyrik und höfischer Roman*, Berlin, 1962.

KÖHLER Erich, *L'Aventure chevaleresque. Idéal et réalité dans le roman courtois*. Préface de Jacques Le Goff, Paris, Gallimard, 1974 (origin. allem. 1956).

KONIGSON Elie, *L'Espace théâtral médiéval*, Paris, 1976.

LACY N.J., KELLY D., BUSBY K. (sous la direction de), *The Legacy of Chrétien de Troyes*, 2 vol., Amsterdam, Rodopi, 1987-1988.

LE GENTIL Pierre, *La Chanson de Roland*, Paris, Hatier, 1962.

LE GENTIL Pierre, *Villon*, Paris, Hatier, 1967.

LEJEUNE Rita, *L'Œuvre de Jean Renart. Contribution à l'étude du genre romanesque au Moyen Age*, Paris-Liège, 1935.

LOOMIS Roger S. (sous la direction de), *Arthurian Literature in the Middle Ages*, Oxford, Clarendon, 1959.

LOT Ferdinand, *Etude sur le* Lancelot *en prose*, Paris, Champion, 1918.

LOT Ferdinand, *Etudes sur les légendes épiques françaises*, Paris, Champion, 1958.

MARX Jean, *La Légende arthurienne et le Graal*, Paris, P.U.F., 1952.

MÉLA Charles, *La Reine et le Graal. La Conjointure dans les romans du Graal*, Paris, Le Seuil, 1981.

MÉNARD Philippe, *Le Rire et le sourire dans le roman courtois en France au Moyen Age (1150-1250)*, Genève, Droz, 1969.

MÉNARD Philippe, *Les Lais de Marie de France*, Paris, P.U.F., 1979.

MÉNARD Philippe, *Les Fabliaux, contes à rire du Moyen Age*, Paris, P.U.F., 1983.

MENÉNDEZ PIDAL Ramón, *La* Chanson de Roland *et la*

tradition épique des Francs, Paris, Picard, 1960 (origin. esp. 1959).

MÖLK Ulrich, *Trobar clus, Trobar leu. Studien zur Dichtungstheorie der Trobadors*, Munich, W. Fink, 1968.

NYKROG Per, *Les Fabliaux*, Copenhague, 1957 (2e édit., Genève, Droz, 1973).

PAYEN Jean-Charles, *Le Motif du repentir dans la littérature française médiévale (des origines à 1230)*, Genève, Droz, 1967.

PAYEN Jean-Charles, *Le Lai narratif*, Turnhout, Brepols, 1975 (Typologie des sources du Moyen Age occidental, 13).

PEPIN Jean, *Mythe et allégorie*, Paris, Aubier, 1947.

PETIT Aimé, *Naissance du roman. Les techniques littéraires dans les romans antiques du XIIe siècle*, Paris, Champion, 1985.

PETIT DE JULLEVILLE Louis, *Les Mystères*, 2 vol., Hachette, Paris,1880.

POIRION Daniel, *Le Poète et le Prince. L'évolution du lyrisme courtois de Guillaume de Machaut à Charles d'Orléans*, Paris, P.U.F., 1965.

POIRION Daniel, *Le Roman de la Rose*, Paris, Hatier, 1973.

POIRION Daniel, *Le Merveilleux dans la littérature française du Moyen Age*, Paris, P.U.F., 1982 (Que sais-je ? 1983).

POIRION Daniel, *Résurgences*, Paris, P.U.F., 1986.

REGALADO Nancy, *Poetic Patterns in Rutebeuf : A Study in Non-courtly Poetic Modes of the Thirteenth Century*, New Haven, Yale U.P., 1970.

REY-FLAUD Bernadette, *La Farce ou la machine à rire. Théorie d'un genre dramatique (1450-1550)*, Genève, Droz, 1984.

REY-FLAUD Henri, *Le Cercle magique*, Paris, Gallimard, 1973.

REY-FLAUD Henri, *La Névrose courtoise*, Paris, Navarin, 1983.

RIBARD Jacques, *Le Moyen Age. Littérature et symbolisme*, Paris, Champion, 1984.

RIQUER Martin de, *Les Chansons de geste françaises*, 2e édit., trad. I. Cluzel, Paris, Nizet, 1957.

RYCHNER Jean, *La Chanson de geste. Essai sur l'art épique des jongleurs*, Genève, Droz, 1955.

SHEARS F.S., *Froissart, Chronicler and Poet*, George Routledge and Sons, Londres, 1930.

STANESCO Michel, *Jeux d'errance du chevalier médiéval. Aspects ludiques de la fonction guerrière dans la littérature du Moyen Age flamboyant*, Leiden, Brill, 1988.

STRUBEL Armand, *Le Roman de la Rose*, Paris, P.U.F., 1984.

STRUBEL Armand, *La Rose, Renart et le Graal. La littérature allégorique en France au* XIIIe *siècle,* Paris, Champion, 1989.

VICTORIO J. (sous la direction de), *L'Épopée*, Turnhout, Brepols, 1987 (Typologie des sources du Moyen Age occidental, 49).

VINAVER Eugène, *A la recherche d'une poétique médiévale*, Paris, 1970.

VINAVER Eugène, *The Rise of Romance*, Oxford, 1971.

WILLARD Charity C., *Christine de Pizan. Her Life and Works*, New York, Persea Books, 1984.

ZINK Michel, *La Pastourelle*, Paris, Bordas, 1972.

ZINK Michel, *Les Chansons de toile*, Paris, Champion, 1978.

ZINK Michel, *La Subjectivité littéraire. Autour du siècle de saint Louis*, Paris, P.U.F., 1985.

ZUMTHOR Paul, *Essai de poétique médiévale*, Paris, Le Seuil, 1972.

ZUMTHOR Paul, *Langue, texte, énigme*, Paris, Le Seuil, 1975.

ZUMTHOR Paul, *Le Masque et la lumière. La poétique des grands rhétoriqueurs*, Paris, Le Seuil, 1978.

ZUMTHOR Paul, *La Lettre et la voix. De la « littérature » médiévale*, Paris, Le Seuil, 1987.

REGARD SUR LA CIVILISATION, LA SOCIÉTÉ, LES MENTALITÉS, LA VIE INTELLECTUELLE

BANNIARD Michel, *Genèse culturelle de l'Europe, Ve-VIIe siècle*, Paris, Le Seuil, 1989.

BANNIARD Michel, *« Viva voce. » Communication écrite et communication orale du IVe au IXe siècle en Occident latin*, Paris, Etudes augustiniennes, 1992.

BLOCH Marc, *La Société féodale*, Paris, Albin Michel, 1939.

CARDINI Franco, *Alle radici delle cavalleria medievale*, Florence, 1981.

CHENU M.-D., *L'Eveil de la conscience dans la civilisation médiévale*, Paris, Vrin, 1957.

DUBY Georges, *Les Trois Ordres ou l'imaginaire du féodalisme*, Paris, Gallimard, 1978.

DUBY Georges, *Le Chevalier, la femme et le prêtre*, Paris, Hachette, 1981.

DUBY Georges, *Mâle Moyen Age*, Paris, Flammarion, 1988.

FLORI Jean, *L'Idéologie du glaive. Préhistoire de la chevalerie*. Préface de Georges DUBY, Genève, Droz, 1984.

FLORI Jean, *L'Essor de la chevalerie (XIe-XIIe s.)*, Genève, Droz, 1986.

GILSON Etienne, *La Philosophie du Moyen Age*, Paris, Payot, 1944.

GUENEE Bernard, *Histoire et culture historique dans l'Occident médiéval*, Paris, Aubier, 1980.

HUIZINGA J., *L'Automne du Moyen Age*, préface de Jacques LE GOFF, Paris, Payot, 1977 (1re édit. aux Pays-Bas 1919, 1re trad. fr., *Le Déclin du M.A.*, 1932).

KNOWLES David, *The Evolution of Medieval Thought*, 2e édit. revue par D.E. LUSCOMBE et C.N.L. BROOKE, Londres, Longman, 1988.

LE GOFF Jacques, *La Civilisation de l'Occident médiéval*, Paris, Arthaud, 1964.

LE GOFF Jacques, *Pour un autre Moyen Age*, Paris, Gallimard, 1977.

LE GOFF Jacques, *L'Imaginaire médiéval*, Paris, Gallimard, 1985.

LE GOFF Jacques, *Les Intellectuels au Moyen Age*, Paris, Le Seuil, nouv. édit. 1985.

LEMARIGINIER Jean-Louis, *La France médiévale. Institutions et société*, Paris, Armand Colin, 1970.

L'Histoire médiévale en France. Bilans et perspectives. Préface de Georges DUBY. Textes réunis par Michel BALARD, Paris, Le Seuil, 1991.

PAUL Jacques, *Histoire intellectuelle de l'Occident médiéval*, Paris, Armand Colin, 1973.

SMALLEY Beryl, *The Study of the Bible in the Middle Ages*, Oxford, Basil Blackwell, 1952.

STOCK Brian, *The Implications of Literacy. Written Language and Models of Interpretation in the Eleventh and Twelth Centuries*, Princeton U.P., 1983.

Chronologie sommaire

Toutes les œuvres mentionnées dans le manuel ne sont pas reprises dans cette chronologie, mais seulement les plus importantes ou celles qui sont les premières de leur genre.

814	Mort de Charlemagne	
842		Serments de Strasbourg
ca 881-882		*Séquence de sainte Eulalie*
ca 950		Sermon sur Jonas
987	Couronnement d'Hugues Capet	
ca 950-1000		*Passion* de Clermont, *Vie de saint Léger.*
ca 1050		*Chanson de sainte Foy d'Agen* *Vie de saint Alexis*
1054	Séparation des Églises d'Orient et d'Occident	
1066	Bataille d'Hastings	
1095-1099	Première croisade	
ca 1100		Chansons de geste : *Roland, Gormont et Isembart, Guillaume* Premier troubadour : Guillaume IX (1071-1127)
ca 1120-1140		Troubadours : Marcabru, Cercamon, Jaufré Rudel

ca 1135		*Roman d'Alexandre* d'Albéric de Pisançon
1137		*Historia regum Britanniae* de Geoffroy de Monmouth
1147-1150	Seconde croisade	
ca 1140-1170		Troubadours : Bernard de Ventadour, Pierre d'Auvergne, Raimbaud d'Orange Bernard Silvestre.
1148		*De mundi universitate*
ca 1150		*Roman de Thèbes*
		Jeu d'Adam
1152	Louis VIII répudie Aliénor d'Aquitaine, qui épouse Henri II Plantagenêt	
1155		Wace, *Brut*,
ca 1155-1160		*Roman d'Enéas*
		Benoît de Sainte-Maure, *Roman de Troie*
1160		Alain de Lille, *De planctu Naturae*
		Wace, *Rou*
1170	Assassinat de Thomas Becket	
ca 1170		Marie de France, *Lais*
		Chrétien de Troyes, *Erec et Enide*
ca 1170-1175		Thomas, *Tristan*
		Premières branches du *Roman de Renart*
		Chrétien de Troyes, *Cligès*
		Gautier d'Arras, *Ille et Galeron, Eracle*
ca 1176-1180		Chrétien de Troyes, *Le Chevalier de la Charrette, Le Chevalier au lion*
1180	Règne de Philippe Auguste	Alain de Lille, *Anticlaudianus*
ca 1185		Chrétien de Troyes, *Le Conte du Graal*
		Béroul, *Tristan*

1187	Saladin reprend Jérusalem	
ca 1180-1200		Trouvères : Châtelain de Coucy, Gace Brulé, Conon de Béthune, Hélinand de Froidmont, *Vers de la Mort*
1191	Troisième croisade	
ca 1200		Jean Bodel, *Jeu de saint Nicolas* Robert de Boron, *Estoire dou Graal* Jean Renart, *L'Escoufle, Lai de l'Ombre*
1202	Quatrième croisade	Jean Bodel, *Congés*
1204	Prise de Constantinople par les croisés	
1209	Début de la croisade albigeoise	
ca 1210		Chroniques de Robert de Clari et de Villehardouin
1212-1213		Guillaume de Tudèle, *Chanson de la croisade albigeoise*
1214	Bouvines	
1215	Quatrième concile de Latran	
1219		*Chanson de la croisade albigeoise* (2e partie)
ca 1220-1230		Gautier de Coincy, *Miracles de Notre Dame* *Lancelot* en prose, *Perlesvaus* Jean Renart, *Guillaume de Dole* Guillaume de Lorris, *Roman de la Rose*
1226	Règne de Saint Louis	
ca 1230		*Quête du Graal, Mort le roi Artu* *Tristan* en prose (1re rédaction)

1248	Septième croisade	
1250	Captivité de Saint Louis	
1254-1259	Querelle universitaire parisienne	Poèmes sur l'Université de Rutebeuf
avant 1267		Brunet Latin, *Livre du Trésor*
1270	Mort de Saint Louis	Jean de Meun, *Roman de la Rose*
1276-1277		Adam de la Halle, *Jeu de la Feuillée*
1291	Chute de Saint-Jean d'Acre	
1298		Marco Polo, *Livre des Merveilles*
1309	La Papauté s'installe à Avignon	Joinville, *Vie de Saint Louis*
1328	Philippe VI de Valois succède au dernier capétien direct	Guilhem Molinier, *Leys d'Amors*
1337	Début de la guerre de Cent Ans	
1340	Bataille de L'Ecluse	Machaut, *Le Remède de Fortune*
ca 1340		*Perceforest*
1346	Bataille de Crécy	Machaut, *Le Jugement du roi de Bohême*
1348-1350	Peste Noire, flagellants, pogroms	Machaut, *Le Jugement du roi de Navarre*
1356	Bataille de Poitiers Captivité de Jean II	
1356-1358	Agitation à Paris (Etienne Marcel)	Pierre Bersuire, traduction de Tite-Live
	Jacquerie	Machaut, *Le Confort d'Ami*
1360	Traité de Brétigny	Machaut, *La Prison amoureuse*
1362	Philippe le Hardi reçoit la Bourgogne	Machaut, *Le Voir Dit*
1364	Règne de Charles V	

ca 1365		Froissart, *L'Espinette amoureuse*
1370	Du Guesclin nommé connétable	Froissart, 1er Livre des *Chroniques*
1378	Début du Grand Schisme	*Le Songe du Verger*
1380	Règne de Charles VI Mort de Du Guesclin	Froissart, *Méliador* Cuvelier, *Chanson de Du Guesclin*
1389		Philippe de Mézières, *Songe du Vieil Pélerin* Honoré Bonet, *L'Arbre des Batailles*
1392	Folie de Charles VI	Eustache Deschamps, *L'Art de Dicter*
1394	Naissance de Charles d'Orléans	
1396	Nicopolis Gerson, chancelier de l'Université	
ca 1400		*Les Quinze Joies du Mariage* Monstrelet, *Chroniques* (1400-1444) Querelle du *Roman de la Rose*
1404	Mort de Philippe le Hardi	Christine de Pizan, *Livre de Mutacion de Fortune*
1405		*Journal d'un bourgeois de Paris* (1405-1449)
1407	Assassinat de Louis d'Orléans	
1408		Chr. de Pizan, *Livre du Corps de Policie* *Livre des faits de Boucicaut*
1415	Bataille d'Azincourt Captivité de Charles d'Orléans	
1419	Assassinat de Jean Sans-Peur	Georges Chastellain, *Chroniques* (1419-1475)
1420	Traité de Troyes	

1422	Mort de Charles VI	Alain Chartier, *Le Quadrilogue invectif*
		Bucarius, *Le Pastoralet*
1424		Alain Chartier, *La Belle Dame sans mercy*
1429	Sacre de Charles VII	Chr. de Pizan, *Ditié de Jeanne d'Arc*
1431	Supplice de Jeanne d'Arc	
1435	Traité d'Arras	Olivier de la Marche, *Mémoires* (1435-88)
1437		Charles d'Orléans, *La Departie d'Amour*
1440	Libération de Charles d'Orléans	
1452		Arnoul Gréban, *Mystère de la Passion*
1453	Prise de Constantinople par les Turcs	
1454	Banquet du Faisan	Villon, *Lais*
1456	Réhabilitation de Jeanne d'Arc	Antoine de La Sale, *Jehan de Saintré*
1457		René d'Anjou, *Cuer d'Amour espris*
1458		David Aubert, *Chroniques et Conquestes de Charlemagne*
1461	Règne de Louis XI	Villon, *Testament*
1465	Mort de Charles d'Orléans	*Farce de Maître Pathelin*
ca 1465		*Les Cent Nouvelles nouvelles*
1470	1re imprimerie à la Sorbonne	*Mystère des Actes des Apôtres*
1477	Mort de Charles le Téméraire	
1489		Commynes, *Mémoires* (1489-98)
1500		Jean Molinet adapte en prose le *Roman de la Rose*

Index des noms et des titres

Selon l'usage, les auteurs sont répertoriés sous leur prénom jusqu'au XIVe siècle, sous leur nom à partir du XVe siècle. Les particules *de* et *d'* ne sont pas prises en considération pour l'ordre alphabétique. En revanche, *des*, *du*, *à*, *au*, *le* et *la* le sont.

Table des matières

TROISIÈME PARTIE

LA CONSTITUTION D'UNE LITTÉRATURE

QUATRIÈME PARTIE

LA FIN DU MOYEN AGE

Composition réalisée par NORD COMPO

IMPRIMÉ EN FRANCE PAR BRODARD ET TAUPIN
Usine de La Flèche (Sarthe).
LIBRAIRIE GÉNÉRALE FRANÇAISE - 6, rue Pierre-Sarrazin - 75006 Paris.
ISBN : 2 - 253 - 06422 - X

42/0500/1